Problemas Resueltos de Electrónica Analógica

Juan José Galiana Merino
Juan José Martínez Esplá

Problemas resueltos de electrónica analógica 2.ª ed.

© Juan José Galiana Merino
   Juan José Martínez Esplá

ISBN: 978-84-9948-653-6
Depósito legal: A 997-2011

Edita: Editorial Club Universitario Telf.: 96 567 61 33
C/ Decano, n.º 4 – 03690 San Vicente (Alicante)
www.ecu.fm
e-mail: ecu@ecu.fm

Printed in Spain
Imprime: Imprenta Gamma Telf.: 96 567 19 87
C/ Cottolengo, n.º 25 – 03690 San Vicente (Alicante)
www.gamma.fm
gamma@gamma.fm

A mis padres, Juan Antonio y Josefa

Juan José Galiana Merino

A mi hija María

Juan José Martínez Esplá

PRÓLOGO

Este libro va dirigido especialmente a los alumnos de la asignatura de Electrónica Analógica que se imparte en segundo curso del grado en Ingeniería en Sonido e Imagen en Telecomunicación, en la Escuela Politécnica Superior de la Universidad de Alicante. No obstante, su utilidad se hace extensiva a alumnos de cualquier asignatura básica de electrónica general o electrónica analógica de otros estudios universitarios de ingeniería.

El objetivo de este libro de problemas resueltos es complementar los estudios teóricos de un curso básico de electrónica analógica, ayudando a la mayor comprensión del análisis de los circuitos electrónicos planteados.

En el libro se tratan temas básicos de electrónica que abarcan desde circuitos con diodos hasta circuitos amplificadores con transistores y amplificadores operacionales. Dentro de la parte de amplificación con transistores, se tratan amplificadores de una y varias etapas, así como amplificadores de potencia y amplificadores realimentados. En el último capítulo de amplificadores operacionales se tratan también circuitos de diferente aplicación y el análisis y diseño de filtros activos. En cada capítulo, los problemas se presentan en orden de dificultad creciente, indicando con detalle para cada uno de los problemas todos los pasos realizados para la resolución de los mismos.

Esperamos que el libro pueda cumplir con los objetivos deseados y proporcionar una importante ayuda a los estudiantes de esta materia.

Alicante, septiembre de 2011

Los Autores

ÍNDICE

DIODOS Y APLICACIONES

Problema 1

Determinar la recta de carga del siguiente circuito.

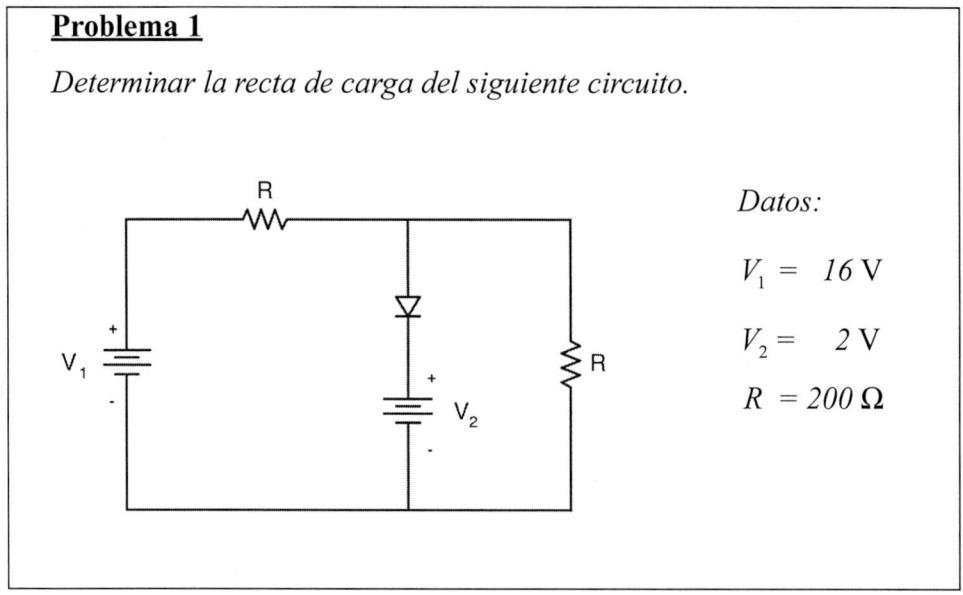

Datos:

$V_1 = 16$ V

$V_2 = 2$ V

$R = 200 \, \Omega$

El punto de funcionamiento de un diodo dentro de un circuito viene determinado por la intersección de su curva característica

$$I_D = I_S \cdot \left(e^{\frac{V_D}{nV_T}} - 1 \right)$$

y la recta de carga del circuito

$$V_D = V_{Th} - R_{Th} \cdot I_D$$

En este caso no están explícitas ni V_{Th} ni R_{Th} de la recta de carga, por lo que se modificará el circuito hasta obtener otro equivalente donde poder calcular V_{TH} y R_{TH}.

Esta transformación se realizará en varias etapas:

1) Cálculo del equivalente Norton de la parte izquierda del diodo

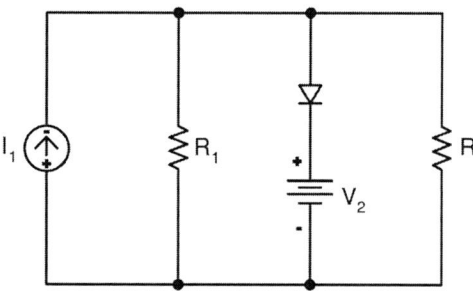

donde

$$I_1 = \frac{V_1}{R}$$

y

$$R_1 = R$$

Como las resistencias R y R_1 están en paralelo, se pueden agrupar en una sola de valor:

$$R_2 = R \parallel R_1 = \frac{R}{2}$$

De esta manera, en la parte izquierda del diodo se tiene una fuente de corriente con una resistencia en paralelo.

2) Por ello, la segunda etapa consiste en calcular el equivalente Thévenin de esa parte del circuito.

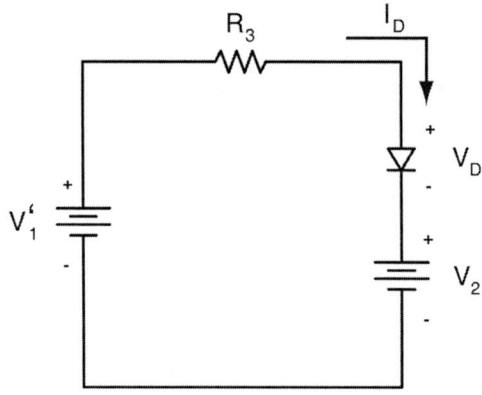

siendo

$$V_1' = I_1 \cdot R_1 = \frac{V_1}{R} \cdot \frac{R}{2} = \frac{V_1}{2}$$

y

$$R_3 = R_2 = R$$

3) Finalmente, se aplica la ley de tensión de Kirchhoff obteniendo:

$$V_1' - R_3 \cdot I_D - V_D - V_2 = 0$$

Y la ecuación de la recta de carga se obtendrá con solo reordenar los términos de la ecuación anterior:

$$V_D = (V_1' - V_2) - R_3 \cdot I_D$$

Sustituyendo los valores de V_1' y R_3 en la ecuación anterior se obtiene:

$$V_D = (\frac{V_1}{2} - V_2) - \frac{R}{2} \cdot I_D$$

Finalmente, siendo $V_1 = 16$ V, $V_2 = 2$ V y $R = 200\ \Omega$, la expresión de la recta de carga queda como:

$$V_D = 6 - 100 \cdot I_D$$

Problema 2

El circuito de la figura se alimenta con una onda cuadrada. Obtener la forma de onda y niveles de la tensión de salida cuando:

a) La tensión de entrada tiene niveles de 0 y 9 V.

b) La tensión de entrada tiene niveles de 2 y 5 V.

Datos: $V_1 = 8$ V, $V_2 = 4$ V y $R = 5$ kΩ. Los diodos son ideales.

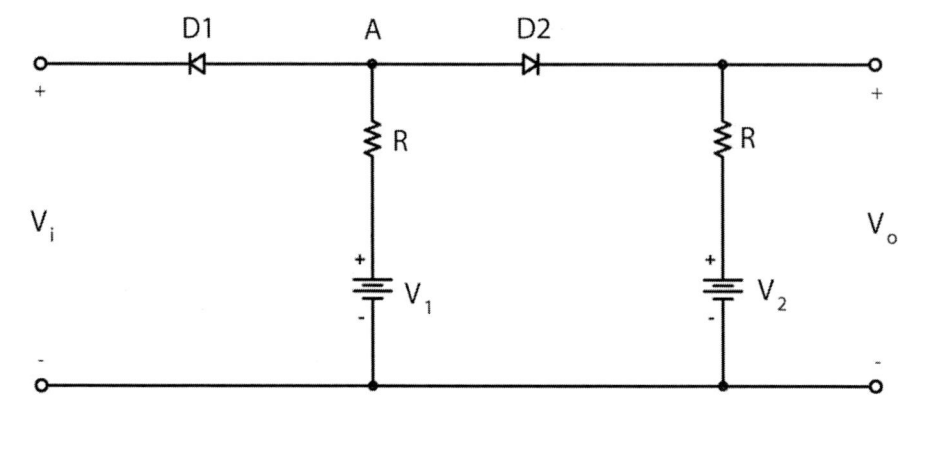

a)

1) Señal de entrada $V_i = 0$ V.

Cuando en la entrada hay 0 V, el diodo D1 está polarizado de manera directa $(V_i < V_1)$, y el diodo D2 no conduce, ya que en el punto A hay 0 V de tensión y entonces $(V_A < V_2)$.

El circuito equivalente es el siguiente:

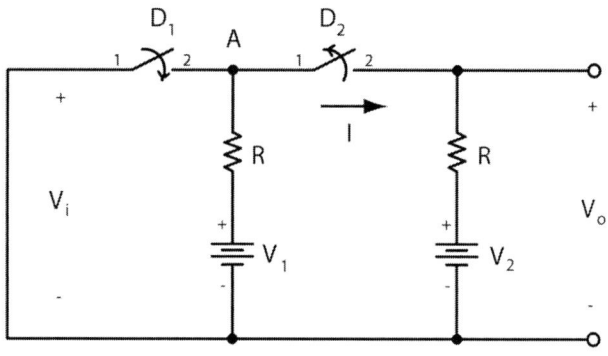

Y la señal de salida:

$$V_O = R \cdot I + V_2 = R \cdot 0 + 4 = 4 \text{ V}$$

2) Señal de entrada $V_i = 9$ V.

En este caso el diodo D1 está polarizado inversamente $\left(V_i > V_1\right)$ y el diodo D2 está polarizado directamente $\left(V_A > V_2\right)$. El circuito equivalente es el siguiente:

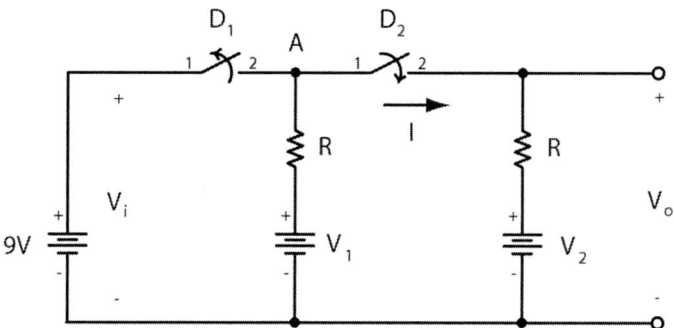

Siendo la tensión de salida:

$$V_O = V_2 + I \cdot R = V_2 + \frac{V_1 - V_2}{2R} \cdot R = V_2 + \frac{V_1 - V_2}{2} = 6 \text{ V}$$

De manera gráfica:

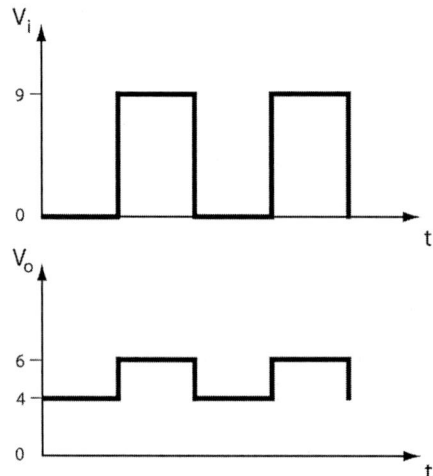

Figura 1.1 *Representación gráfica de las tensiones V_i y V_o.*

b)

1) Señal de entrada $V_i = 2$ V.

Este caso es similar al del apartado a.1 con $V_i = 0$ V. El diodo D1 conduce puesto que está directamente polarizado mientras que el diodo D2 está en circuito abierto. La tensión de salida es, por lo tanto:

$$V_O = V_2 = 4 \text{ V}$$

2) Señal de entrada $V_i = 5$ V.

En este caso el diodo D1 está polarizado directamente $\left(V_i < V_1\right)$ y el diodo D2 también conduce $\left(V_A > V_2\right)$. El circuito equivalente es el siguiente:

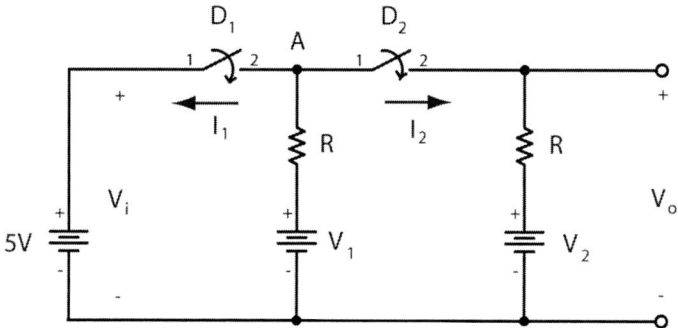

Y la tensión de salida será:

$$V_O = V_A = 5 \text{ V}$$

De manera gráfica:

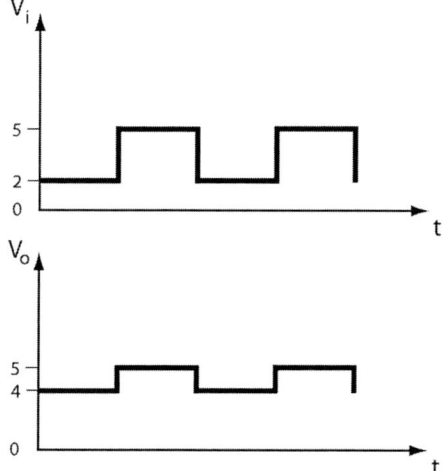

Figura 1.2 *Representación gráfica de las tensiones V_i y V_o.*

Problema 3

Calcular el valor de la tensión de salida V_o en el siguiente circuito.
Datos:

$V_1 = 12$ V, $V_2 = 7$ V, $V_3 = 8$ V, $R_1 = 100 \, \Omega$, $R_2 = 300 \, \Omega$ y $R = 10 \, \Omega$

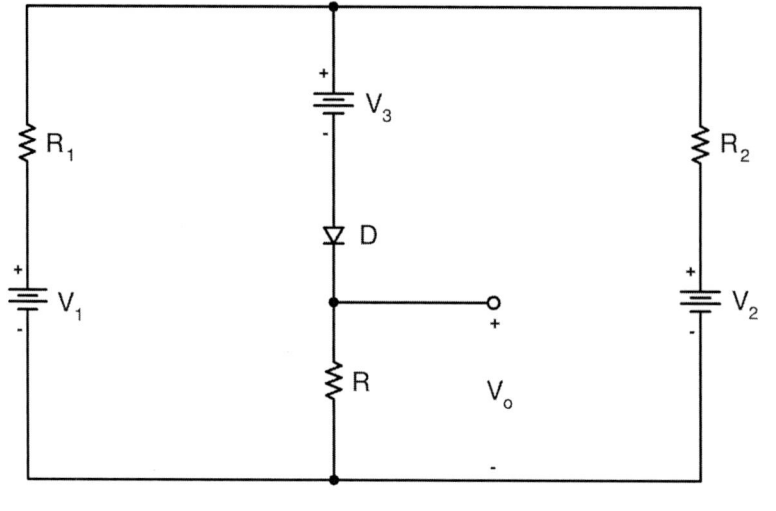

Lo primero que debe hacerse es calcular el equivalente Thévenin de V_1, R_1, V_2 y R_2. El circuito equivalente se muestra en la siguiente figura:

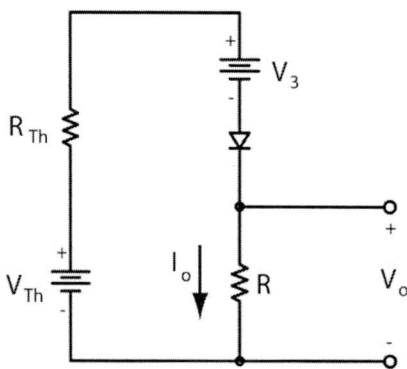

Para el cual se obtienen los siguientes valores:

$$R_{Th} = \frac{R_1 \cdot R_2}{R_1 + R_2} = 75\,\Omega$$

y

$$V_{Th} = \frac{R_2}{R_1 + R_2} \cdot V_1 + \frac{R_1}{R_1 + R_2} \cdot V_2 = 10.75\,\text{V}$$

En esta situación el diodo se encuentra polarizado directamente ya que $(V_{Th} > V_3)$, por lo que la tensión de salida viene dada por:

$$V_O = I_O \cdot R = \frac{V_{Th} - V_3}{R + R_{Th}} \cdot R = 0.324\,\text{V}$$

Problema 4

En el circuito de la figura y supuesto que la fuente de corriente I_e produce una forma de onda como la indicada, se pide determinar:

a) Potencia media disipada en el diodo para $t_1 = 2$ ms y $T = 10$ ms.

b) Dibujar sobre unos ejes cartesianos la curva de variación de la potencia media disipada en el diodo en función de la frecuencia para $t_1 = 2$ ms.

c) Realizar lo pedido en el apartado anterior con la condición de $\dfrac{t_1}{T} = 0.2$.

Datos:

$V_F = 0.7$ V, $r_d = 20\ \Omega$

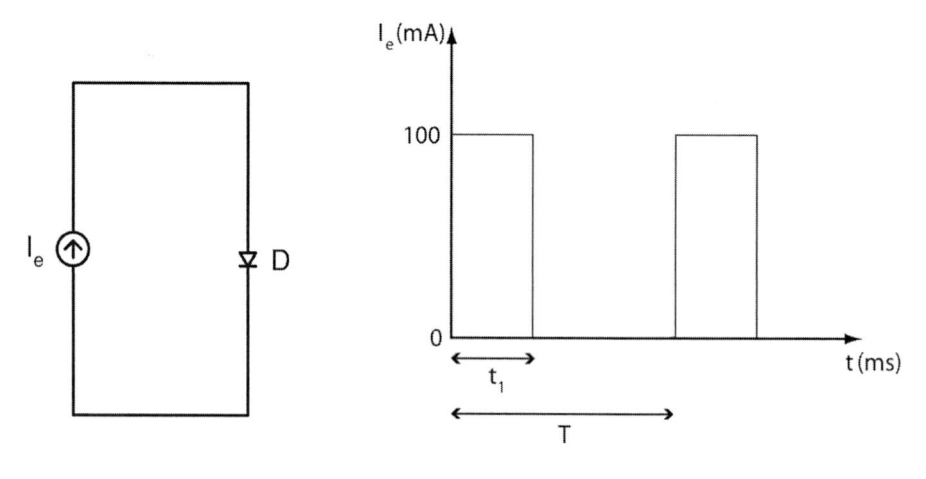

a) La potencia disipada en el diodo es función del tiempo de conducción de este. Por lo tanto, se puede expresar como:

$$P = (V_F \cdot I_D + r_d \cdot I_D^2) \cdot \frac{t_1}{T}$$

Y sustituyendo valores se obtiene:

$$P = (0.7 \cdot 0.1 + 20 \cdot 0.1^2) \cdot \frac{2 \cdot 10^{-3}}{10 \cdot 10^{-3}} = 54 \, \text{mW}$$

b) Para representar la potencia disipada en función de la frecuencia basta recordar que $T = 1/f$, con lo que la expresión anterior se puede expresar de la siguiente manera:

$$P = (V_F \cdot I_D + r_d \cdot I_D^2) \cdot t_1 \cdot f$$

Nuevamente, sustituyendo valores se obtiene:

$$P = (0.7 \cdot 0.1 + 20 \cdot 0.1^2) \cdot 2 \cdot 10^{-3} \cdot f = 0.54 \cdot 10^{-3} \cdot f$$

Y su representación gráfica se muestra a continuación, donde la frecuencia máxima permitida será $f = 1/t_1 = 500 \, \text{Hz}$ y la máxima potencia disipada $P = 270$ mW:

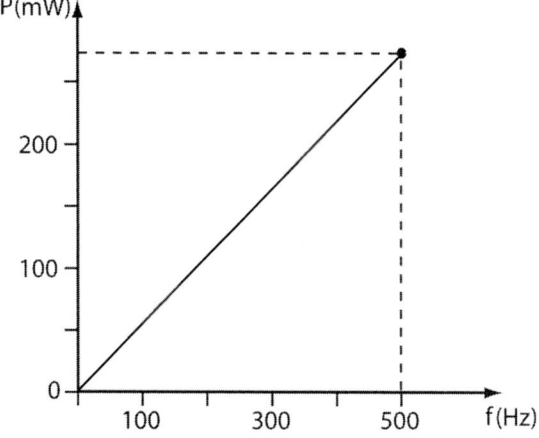

Figura 1.3 *Potencia disipada en el diodo.*

c) Si en la ecuación obtenida en el apartado b) se sustituye el valor de la frecuencia, supuesto $t_1 = 2$ ms, se obtiene para $f = 0.2 / t_1$:

$$P = 0.54 \cdot 10^{-3} \cdot \frac{0.2}{2 \cdot 10^{-3}} = 54 \text{ mW}$$

Y de manera gráfica:

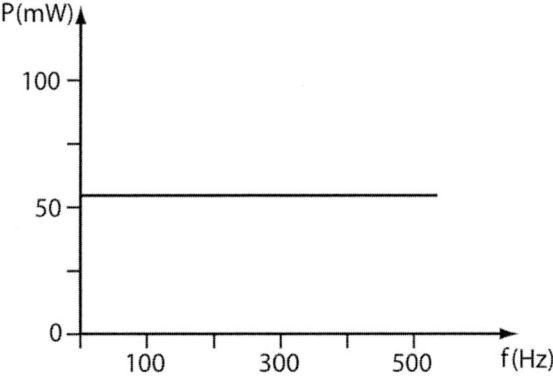

Figura 1.4   *Potencia disipada en el diodo para $f = 0.2 / t_1$.*

Problema 5

En el circuito de la figura calcular el incremento de la tensión V_A al variar la temperatura ambiente de 10 °C a 100 °C.

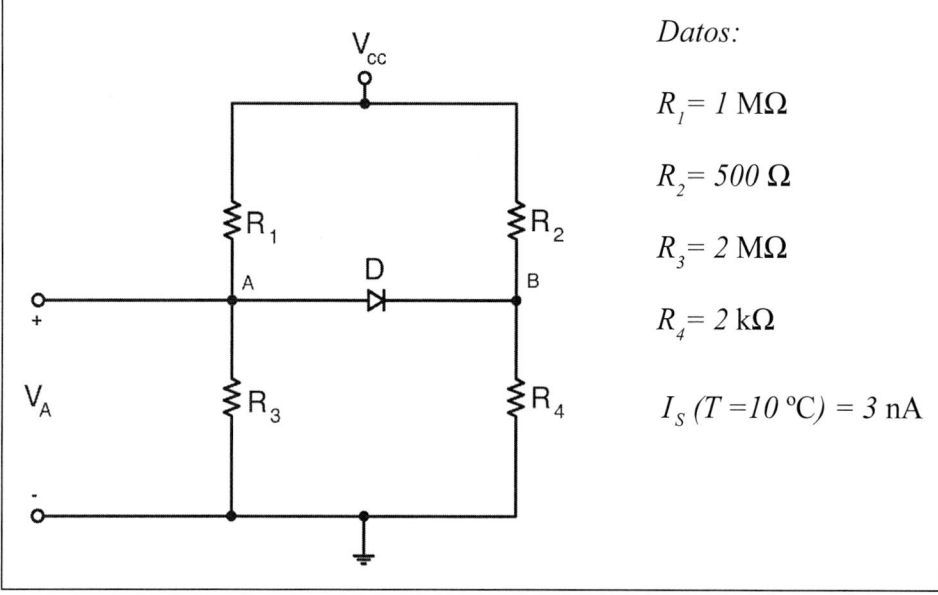

Datos:

$R_1 = 1$ MΩ

$R_2 = 500$ Ω

$R_3 = 2$ MΩ

$R_4 = 2$ kΩ

$I_S (T = 10$ °C$) = 3$ nA

La resolución del problema requiere del cálculo del equivalente Thévenin entre los puntos A y masa, y entre los puntos B y masa, de manera que queden en serie con el diodo.

Entre los puntos A y masa, el circuito que se tiene, así como el correspondiente equivalente Thévenin, se muestra en la siguiente figura:

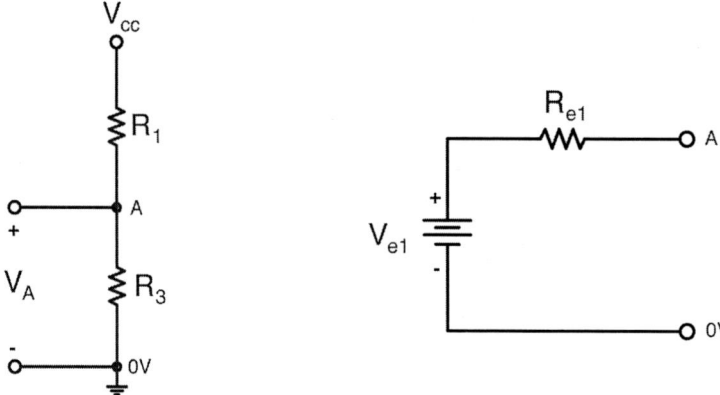

Siendo

$$V_{e1} = V_{CC} \cdot \frac{R_3}{R_1 + R_3} = 0.67 \cdot V_{CC}$$

y

$$R_{e1} = \frac{R_1 \cdot R_3}{R_1 + R_3} = 0.67\,M\Omega$$

Del mismo modo, entre los puntos B y masa, el circuito que se tiene, así como el correspondiente equivalente Thévenin, se muestra en la siguiente figura:

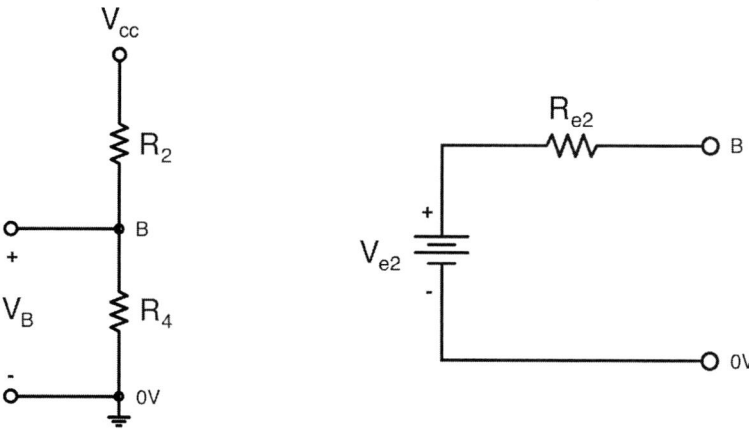

Siendo

$$V_{e2} = V_{CC} \cdot \frac{R_4}{R_2 + R_4} = 0.8 \cdot V_{CC}$$

y

$$R_{e2} = \frac{R_2 \cdot R_4}{R_2 + R_4} = 400 \ \Omega$$

Con lo cual el circuito global equivalente es el mostrado en la siguiente figura:

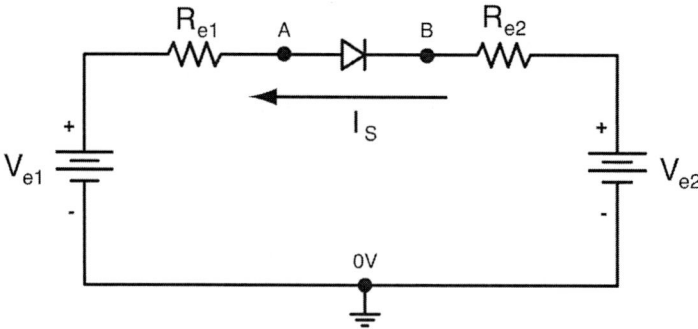

El diodo D se encuentra polarizado de manera inversa y, por lo tanto, la tensión V_A es proporcional a la corriente inversa I_S que circula por el diodo. Teniendo en cuenta que I_S aumenta el doble de su valor cuando la temperatura se incrementa en 10 ºC, entonces:

$$\Delta V_A \Big|_{10ºC \to 100ºC} = R_{e1} \cdot \left(I_{S_{100ºC}} - I_{S_{10ºC}} \right) =$$

$$= 0.67 \cdot 10^6 \cdot \left(3 \cdot 10^{-9} \cdot 2^{\frac{100}{10} - 1} - 3 \cdot 10^{-9} \right) = 1.03 \, V$$

Problema 6

En el circuito de la figura, el diodo Zener se supone linealizado en su zona inversa con tensión Zener 9.5 V y resistencia Zener 5 Ω. La fuente de intensidad de continua I_E es de 100 mA y la de alterna I_e tiene un valor máximo de 20 mA y frecuencia de 100 Hz. Calcular la expresión analítica de la tensión V_o.

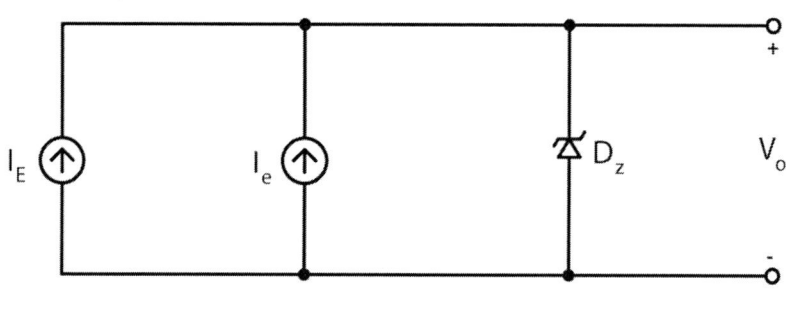

La corriente total que generan las dos fuentes de corriente en paralelo es:

$$I_{total} = I_E + I_e = 0.1 + 0.02 \cdot sen(2 \cdot \pi \cdot 100 \cdot t)$$

Esta corriente circula por el diodo zener, el cual se encuentra polarizado en zona Zener. De acuerdo al siguiente circuito equivalente:

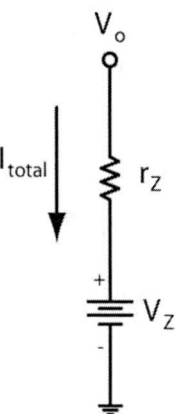

La tensión de salida responde a la siguiente expresión:

$$V_o = V_Z + r_Z \cdot I_{total}$$

Y sustituyendo valores:

$$V_o = 10 + 0.1 \cdot sen(2 \cdot \pi \cdot 100 \cdot t)$$

Problema 7

El circuito de la figura es un doble estabilizador Zener que alimenta

a una carga de $R_L =1$ kΩ a tensión de 10 V. Las características

idealizadas de los circuitos Zener empleados son $V_{Z1} =9.8$ V, $r_{Z1} =20$

Ω, $V_{Z2} =24$ V y $r_{Z2} =100$ Ω. La tensión de alimentación es de $V_{cc}=55$

V de continua. Determinar:

a) El valor de la resistencia limitadora, R.

b) El potencial en el punto A.

c) La potencia disipada en el diodo D_{Z2}.

Datos: R1= 800 Ω

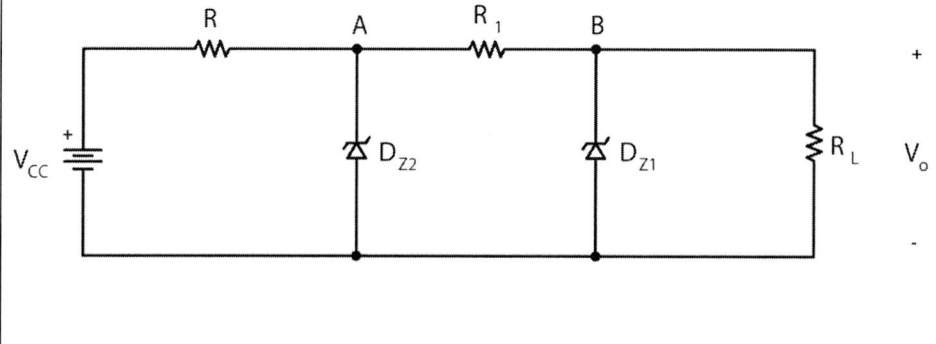

En este circuito la entrada es una fuente de tensión continua de valor

55 V. Este valor es mayor que la tensión Zener del diodo D_{Z2}, por lo que

estará polarizado inversamente en zona Zener y, como este valor (24 V) es

mayor que la tensión Zener del diodo D_{Z1} (9.8 V), este también se encuentra

polarizado inversamente en zona Zener. El circuito equivalente será:

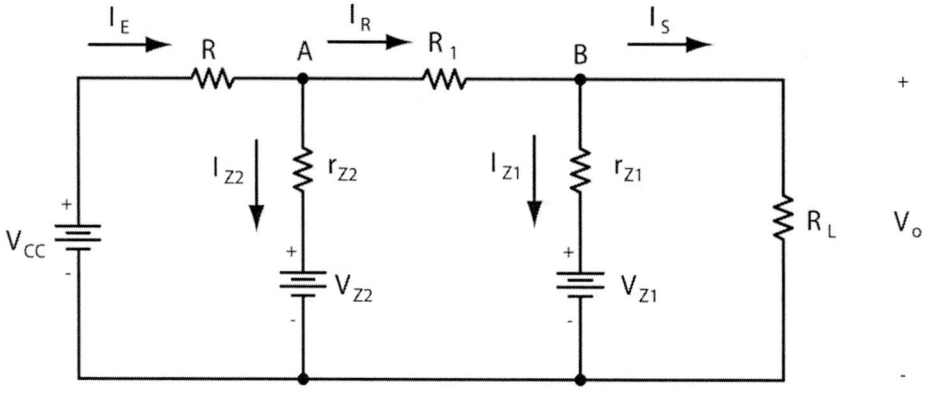

donde

$$V_o = R_L \cdot I_S$$

y

$$I_S = \frac{V_o}{R_L} = \frac{10}{10^3} = 10 \text{ mA}$$

Como R_L está en paralelo con el diodo Zener D_{Z1}, entonces también es cierta la siguiente expresión:

$$V_o = r_{Z1} \cdot I_{Z1} + V_{Z1}$$

y, por lo tanto

$$I_{Z1} = \frac{V_o - V_{Z1}}{r_{Z1}} = \frac{10 - 9.8}{20} = 10 \text{ mA}$$

Aplicando la ley de corrientes de Kirchhoff en el nodo B se obtiene:

$$I_R = I_S + I_{Z1} = 10 \cdot 10^{-3} + 10 \cdot 10^{-3} = 20 \ \text{mA}$$

y, por otro lado:

$$V_A = R_1 \cdot I_R + V_o = 800 \cdot 20 \cdot 10^{-3} + 10 = 26 \ \text{V}$$

Conocida V_A se puede calcular la corriente que circula a través del diodo D_{Z2}, sabiendo que:

$$V_A = r_{Z2} \cdot I_{Z2} + V_{Z2}$$

por lo tanto:

$$I_{Z2} = \frac{V_A - V_{Z2}}{r_{Z2}} = \frac{26 - 24}{100} = 20 \ \text{mA}$$

Con lo cual, la potencia disipada en el diodo Zener D_{Z2} es

$$P_{Z2} = V_A \cdot I_{Z2} = 26 \cdot 20 \cdot 10^{-3} = 520 \ \text{mW}$$

Aplicando la ley de corrientes de Kirchhoff en el nodo A se obtiene

$$I_E = I_{Z2} + I_R = 20 \cdot 10^{-3} + 20 \cdot 10^{-3} = 40 \ \text{mA}$$

Conocidos los valores de I_E, V_{CC} y V_A se puede calcular el valor de la resistencia limitadora R de la siguiente manera

$$V_{CC} = R \cdot I_E + V_A$$

y, por tanto

$$R = \frac{V_{CC} - V_A}{I_E} = \frac{55 - 26}{40 \cdot 10^{-3}} = 725 \ \Omega$$

Problema 8

El diodo Zener utilizado en un circuito estabilizador posee las siguientes características:

Tipo: IN1955.

Tensión Zener: 4.7 V.

Resistencia Zener: 10 Ω.

Potencia máxima de disipación: 500 mW.

La fuente de alimentación tiene una tensión media de 10 V con un rizado de +12 % y –11 %.

Se desea que la carga esté alimentada a una tensión media de 5 V con variaciones de corriente de 10 a 20 mA, si bien la nominal es de 20 mA.

Calcular:

a) El valor de la resistencia limitadora.

b) Tanto por ciento de variación de la tensión de salida.

c) Máxima potencia disipada por el diodo Zener.

El circuito estabilizador seleccionado y su equivalente se muestran en las siguientes figuras:

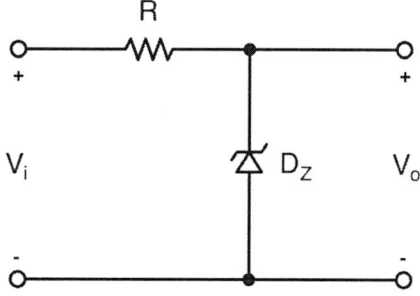

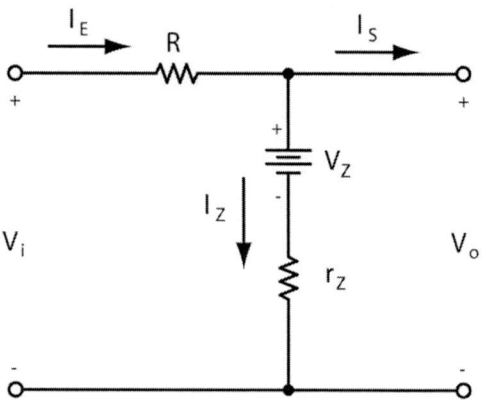

En condiciones nominales se obtiene

$$I_Z = \frac{V_o - V_Z}{r_Z} = 30 \ \text{mA}$$

y

$$I_E = I_S + I_Z = (20 + 30) \cdot 10^{-3} = 50 \ \text{mA}$$

por lo que la resistencia limitadora tiene un valor de

$$R = \frac{V_i - V_o}{I_E} = 100 \ \Omega$$

Además, la tensión de salida se puede expresar como

$$V_o = V_Z + r_Z \cdot I_Z$$

y la corriente que circula por el Zener

$$I_Z = I_E - I_S = \frac{V_i - V_o}{R} - I_S$$

por lo que

$$R \cdot I_Z = V_i - V_o - R \cdot I_S$$
$$R \cdot I_Z = V_i - V_Z - r_Z \cdot I_Z - R \cdot I_S$$

y

$$I_Z = \frac{V_i - V_Z - R \cdot I_S}{R + r_Z}$$

Como V_Z, r_Z y R poseen valores constantes, la tensión de salida V_o será mínima (máxima) cuando I_Z sea mínima (máxima). Y esto ocurrirá cuando V_i sea mínima (máxima) e I_S sea máxima (mínima).

$$I_Z^{min} = \frac{V_i^{min} - V_Z - R \cdot I_S^{max}}{R + r_Z} = \frac{8.9 - 4.7 - 100 \cdot 20 \cdot 10^{-3}}{100 + 10} = 20 \text{ mA}$$

$$I_Z^{max} = \frac{V_i^{max} - V_Z - R \cdot I_S^{min}}{R + r_Z} = \frac{11.2 - 4.7 - 100 \cdot 10 \cdot 10^{-3}}{100 + 10} = 50 \text{ mA}$$

Y, por tanto:

$$V_o^{min} = V_Z + r_Z \cdot I_Z^{min} = 4.7 + 10 \cdot 0.02 = 4.9 \text{ V}$$

$$V_o^{max} = V_Z + r_Z \cdot I_Z^{max} = 4.7 + 10 \cdot 0.05 = 5.2 \text{ V}$$

Teniendo en cuenta que la tensión de salida nominal deseada es de 5 V, entonces la variación de V_o en tanto por ciento será

$$V_0 = 5 \quad \left| \begin{array}{l} + 4\,\% \\ - 2\,\% \end{array} \right. \quad \text{V}$$

Por último, la máxima potencia disipada en el diodo Zener se produce cuando tanto V_o como I_Z son máximas

$$P = V_o^{\max} \cdot I_Z^{\max} = 5.2 \cdot 0.05 = 260\,\text{mW}$$

Problema 9

Si en el circuito de la figura se introduce una señal sinusoidal de 20 V de pico, dibujar la señal que se obtiene a la salida. Suponer que todos los diodos tienen una resistencia interna de $r_d = 1$ kΩ.

Datos: $V_1 = 6$ V, $V_2 = 2$ V

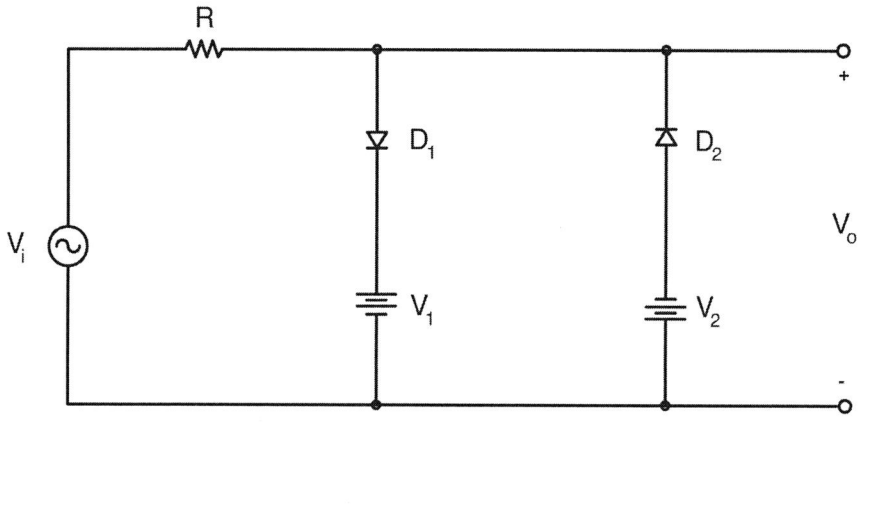

Mientras que la señal de entrada V_i no alcanza el valor de V_1, el diodo D1 está cortado al igual que D2. Por lo tanto, el circuito equivalente será el que se muestra en la siguiente figura, en la que se puede observar que la señal de salida es igual a la señal de entrada ($V_o = V_i$).

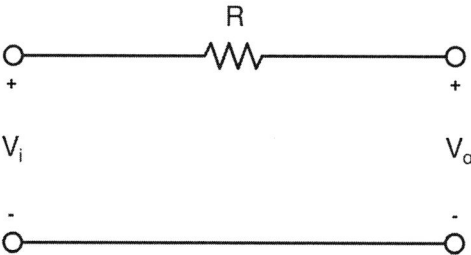

Cuando V_i alcanza el valor de V_1, el diodo D1 empieza a conducir mientras que D2 sigue en circuito abierto. Por lo tanto, el circuito equivalente en este tramo de tensión es el que se muestra a continuación

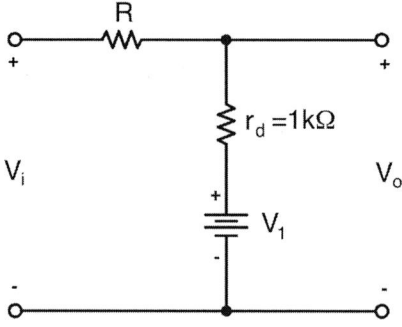

En este caso

$$V_o = V_1 + r_d \cdot \frac{V_i - V_1}{R + r_d}$$

Cuando V_i comienza a hacerse negativa y alcanza el valor de $-V_2$, el diodo D2 conduce, mientras que el diodo D1 está en corte. Por tanto, ahora el circuito equivalente será:

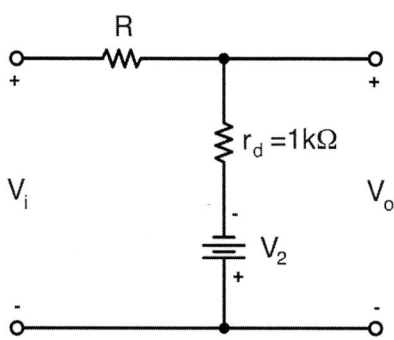

Y la tensión de salida es

$$V_o = -V_2 + r_d \cdot \frac{V_i + V_2}{R + r_d}$$

Con todo, la función de transferencia del circuito y la señal de salida serán las que se muestran en la siguiente figura.

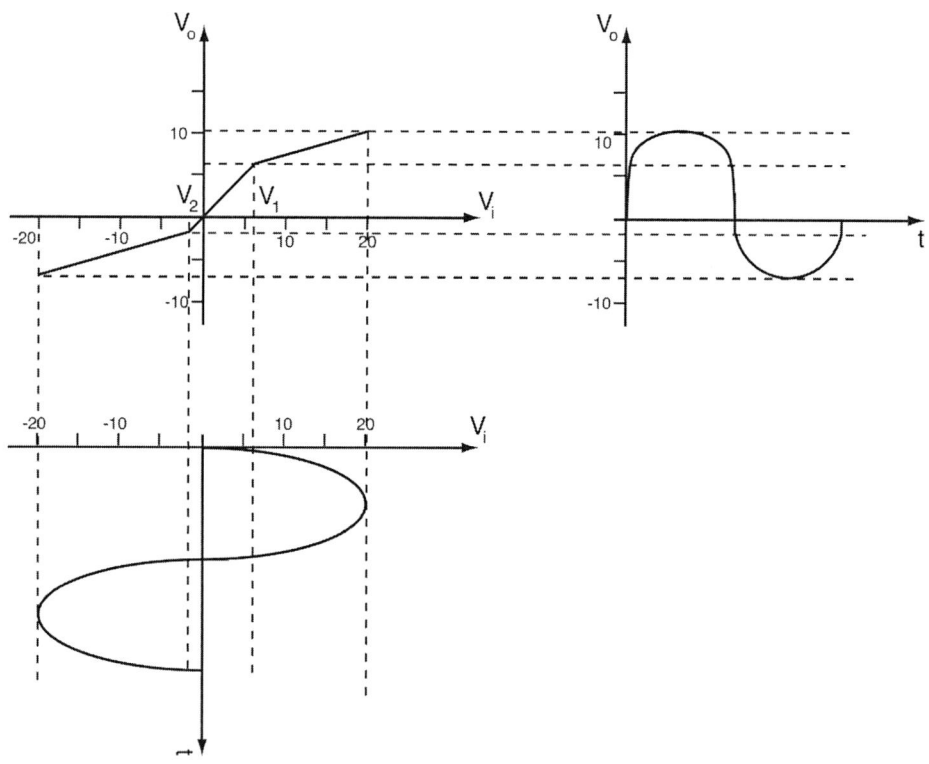

Problema 10

Determinar la corriente media directa que pasa por el diodo y la tensión de salida en la carga.

Datos: $R_L = 2$ *kΩ*, $V_i = 10 \cdot sen(\omega \cdot t)$

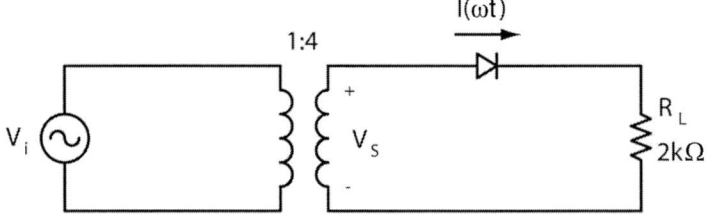

La tensión máxima en el secundario del transformador será:

$$V_s^{max} = V_i^{max} \cdot \frac{N_2}{N_1} = 10 \cdot \frac{4}{1} = 40 \ V$$

La corriente en un instante t vendrá determinada por la siguiente expresión:

$$i(\omega \cdot t) = I_{max} \cdot sen(\omega \cdot t)$$

teniendo en cuenta que $i(\omega \cdot t) = 0$ en $\pi \le \omega \cdot t \le 2\pi$ al estar rectificada la señal de entrada por el diodo D. Por lo tanto, el valor medio de la corriente vendrá determinado por

$$I_{med} = I_{max} \cdot \frac{1}{2\pi} \left[\int_0^\pi sen(\omega \cdot t)d(\omega \cdot t) + \int_\pi^{2\pi} sen(\omega \cdot t)d(\omega \cdot t) \right]$$

$$I_{med} = \frac{I_{max}}{\pi} = \frac{1}{\pi} \cdot \frac{V_s^{max}}{R_L} = 6.37 \text{ mA}$$

En consecuencia, la tensión media de salida en bornes de la resistencia será

$$V_s^{med} = R_L \cdot I_{med} = 12.73 \text{ V}$$

Y la forma de onda que se obtiene se muestra a continuación

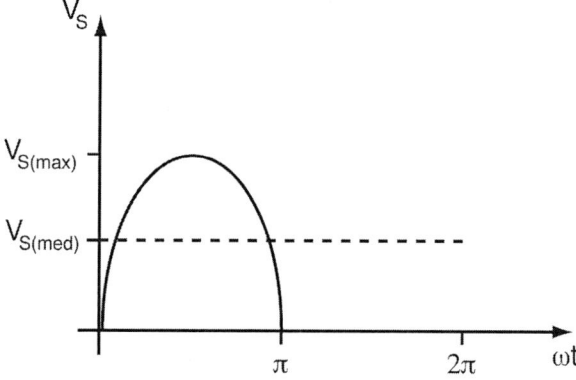

Problema 11

Calcular la función de transferencia $V_o = f(V_i)$ y la señal de salida $V_o(t)$ cuando la señal de entrada V_i es una señal triangular de 12 V de pico. Suponer $V_F = 0.7$ V.

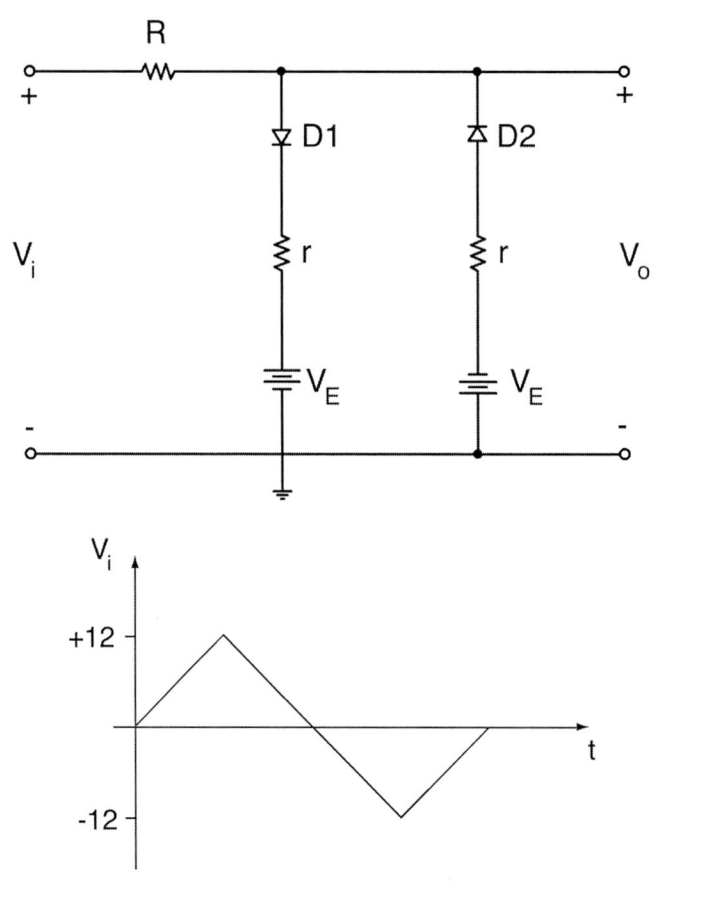

Para que D1 conduzca $\rightarrow V_i > V_E + V_F$

Para que D2 conduzca $\rightarrow V_i < - (V_E + V_F)$

Llegaremos a las anteriores conclusiones estudiando los distintos casos que pueden producirse:

Caso 1) D1 y D2 conducen. Este caso es imposible.

Caso 2) D1 conduce y D2 no. El circuito equivalente es el siguiente:

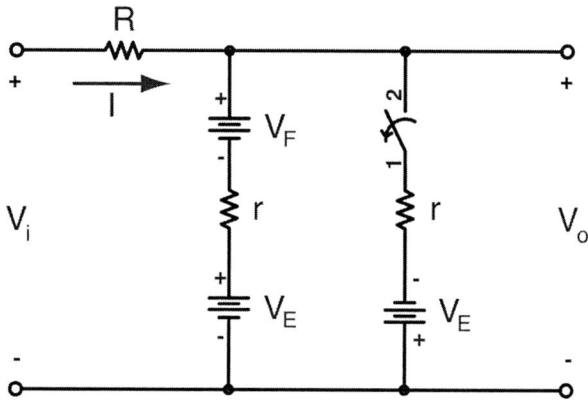

siendo

$$V_i = R \cdot I + V_F + r \cdot I + V_E$$

de donde

$$I = \frac{V_i - V_F - V_E}{R + r}$$

y como I debe ser positivo (puesto que D1 conduce)

$$V_i > V_E + V_F$$

Por lo tanto

$$V_o = V_F + r \cdot I + V_E = \frac{r \cdot V_i + R \cdot (V_F + V_E)}{R + r}$$

Caso 3) D2 conduce y D1 no. El circuito equivalente es el siguiente:

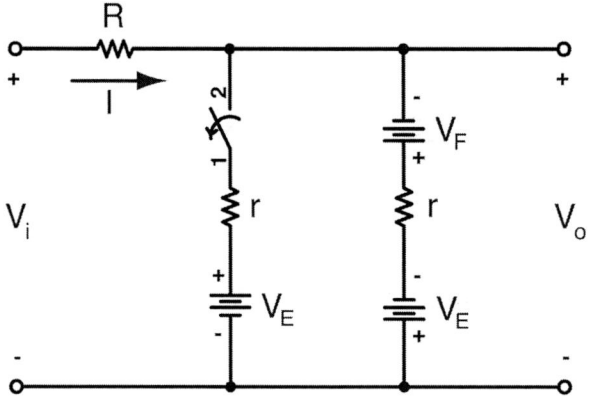

siendo

$$V_o = r \cdot I - V_F - V_E$$

de donde

$$I = \frac{V_i + V_F + V_E}{R + r}$$

y como I debe ser negativo (puesto que D2 conduce)

$$V_i < -(V_E + V_F)$$

Por lo tanto

$$V_o = \frac{r \cdot V_i - R \cdot (V_F + V_E)}{R + r}$$

Caso 4) Ningún diodo conduce. El circuito equivalente es el siguiente:

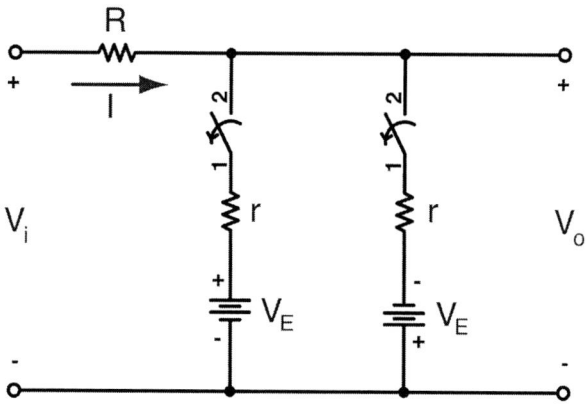

siendo

$$V_o = V_i$$

Por lo tanto, la expresión para la función de transferencia $V_o = f(V_i)$ es la siguiente:

$$V_o = f(V_i) = \begin{cases} \dfrac{r \cdot V_i + R \cdot (V_F + V_E)}{R+r} & si \quad V_i > (V_E + V_F) \\ V_i & si \quad -(V_E + V_F) < V_i < (V_E + V_F) \\ \dfrac{r \cdot V_i - R \cdot (V_F + V_E)}{R+r} & si \quad V_i < -(V_E + V_F) \end{cases}$$

Para una señal triangular de 12 V de pico, suponiendo que $V_E + V_F < 12$ V, la señal de salida, $V_o (t)$ será:

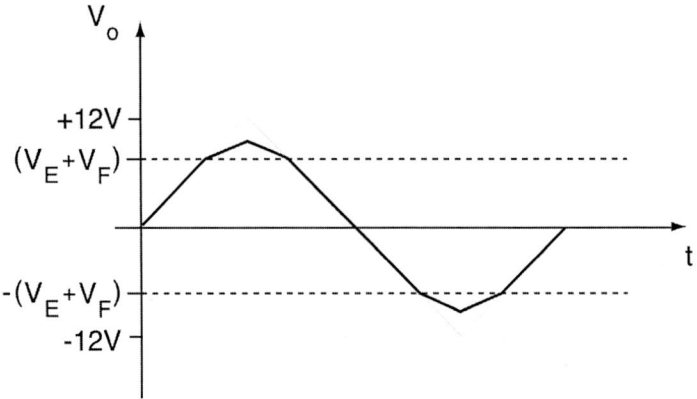

Problema 12

Determinar a qué temperatura comienza a conducir el diodo del siguiente circuito.

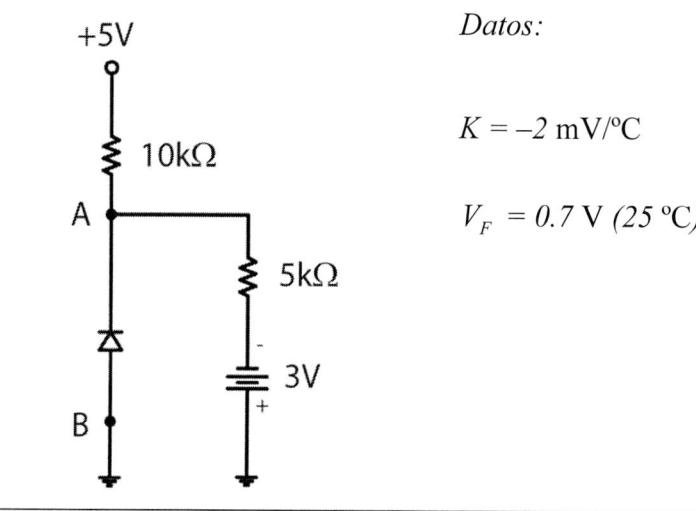

Datos:

$K = -2 \text{ mV/°C}$

$V_F = 0.7 \text{ V } (25 \text{ °C})$

Se calcula el equivalente Thévenin entre los puntos A y B, según se muestra en la siguiente figura:

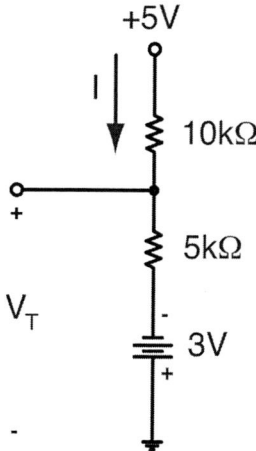

donde

$$I = \frac{5+3}{(10+5)\cdot 10^3} = 0.53\,\text{mA}$$

Por lo que:

$$V_T = 5\cdot 10^3 \cdot I - 3 = -0.33\,\text{V}$$

$$R_T = \frac{10\cdot 5}{10+5} = 3.33\,\text{k}\Omega$$

Para que el diodo entre en conducción: $V_F < 0.3$ V según se muestra en la figura:

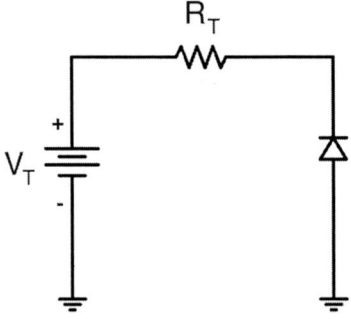

Por lo que:

$$V_F(T_1) - V_F(25°) = K \cdot (T_1 - 25)$$

y sustituyendo valores

$$0.33 - 0.7 = -2\cdot 10^{-3} \cdot (T_1 - 25)$$

Finalmente

$$T_1 = 208.5\ °\text{C}$$

Problema 13

Determinar la señal de salida V_o cuando la entrada es $V_i = 12 \cdot sen(\omega \cdot t)$.

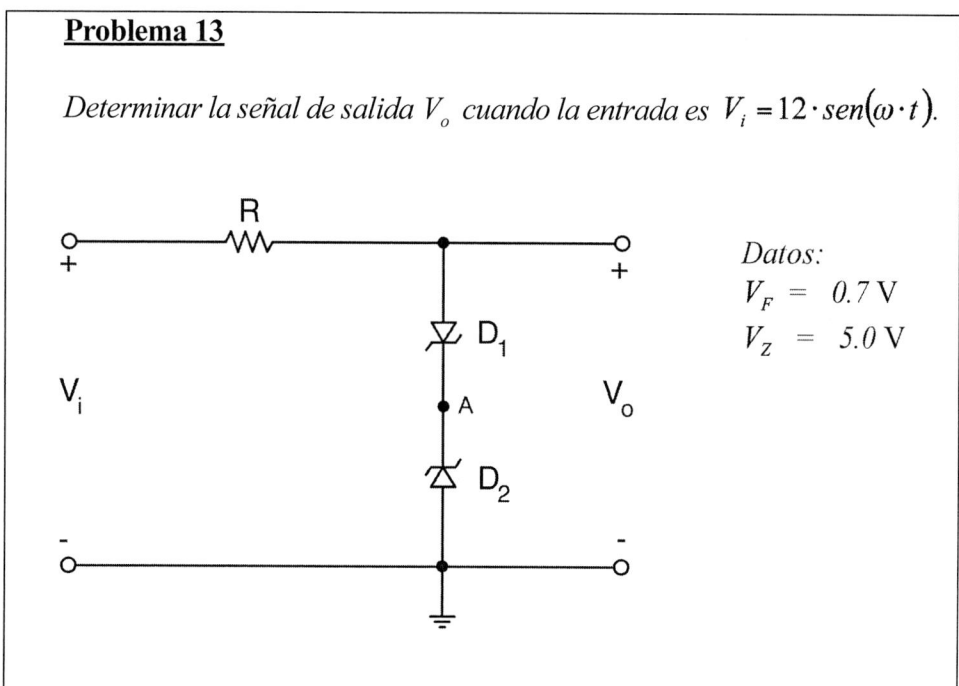

Datos:
$V_F = 0.7\,V$
$V_Z = 5.0\,V$

Caso 1) $V_i > 0$. En esta situación, D_1 se encuentra polarizado directamente y D_2 inversamente. Por ello:

Para que D_1 conduzca $\rightarrow V_i > V_A + V_Z$

Para que D_2 esté en zona zener $\rightarrow V_A > V_Z$

Por lo tanto, cuando $V_A = 5\,V$ y $V_i > 5.7\,V$, D_1 conduce y D_2 está en zona Zener, como se muestra en el siguiente circuito equivalente:

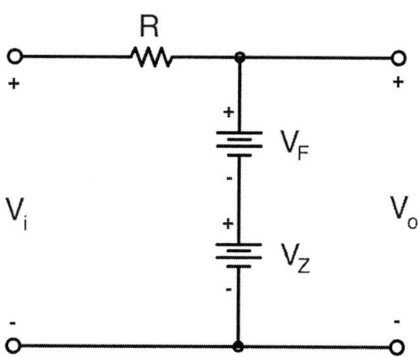

En este caso, $V_o = V_Z + V_F = 5.7$ V.

Caso 2) $V_i < 0$. En esta situación, D_1 se encuentra inversamente polarizado y D_2 directamente. Por ello:

Para que D_1 esté en zona Zener $\rightarrow V_A - V_i > V_Z \rightarrow V_i < -5.7$ V

Para que D_2 conduzca $\rightarrow V_A < -V_F$

El circuito equivalente se muestra a continuación:

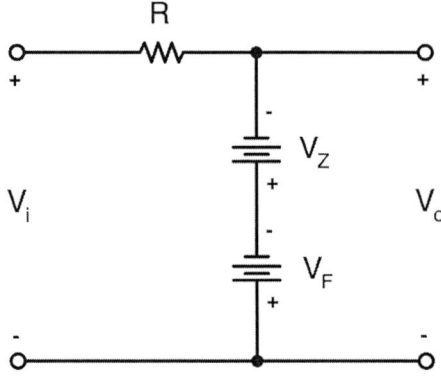

En este caso, $V_o = -V_Z - V_F = -5.7$ V.

De manera análoga, en el momento en que uno de los dos diodos deje de conducir, el otro tampoco lo hará, con lo cual $V_o = V_i$.

La representación gráfica de la señal de salida V_o se muestra a continuación.

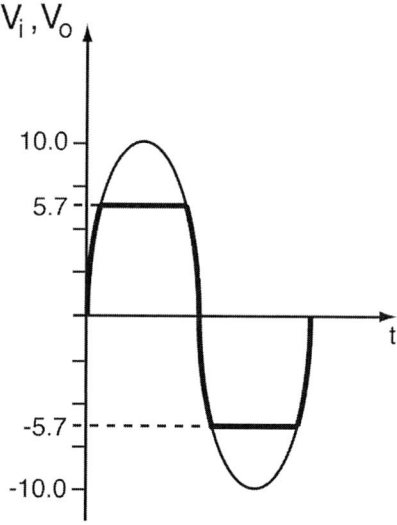

Problema 14

Determinar la característica de transferencia del siguiente circuito. Calcular $V_o(t)$ cuando la entrada es una señal sinusoidal de amplitud 12 V.

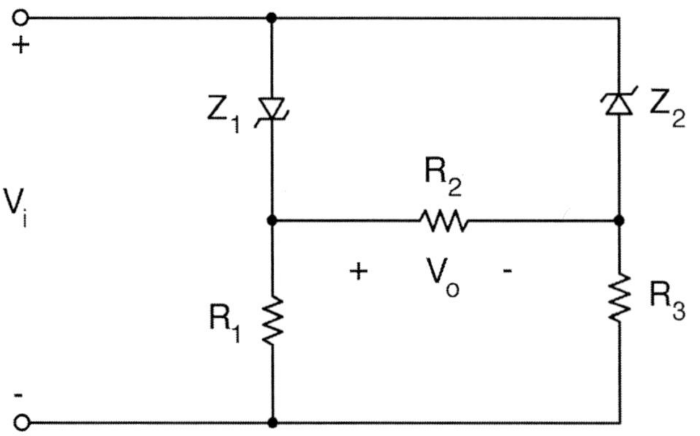

Datos:

$$V_F = 0.7 \text{ V}$$

$$V_Z = 5.0 \text{ V}$$

$$R_1 = 2 \text{ k}\Omega$$

$$R_2 = 2 \text{ k}\Omega$$

$$R_3 = 2 \text{ k}\Omega$$

Para este circuito pueden darse distintas situaciones, como se muestra a continuación.

Caso 1) Z_1 se encuentra polarizado directamente y Z_2 en corte como se muestra en la figura.

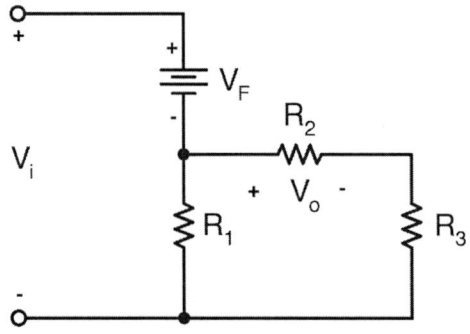

Para que Z_1 conduzca $\rightarrow V_i > V_F$ y para que Z_2 esté en corte $\rightarrow V_i < V_Z$, por lo que $0.7 < V_i < 5$.

En este caso:

$$I_2 = \frac{V_i - 0.7}{R_2 + R_3}$$

y

$$V_o = R_2 \cdot I_2 = R_2 \cdot \frac{V_i - 0.7}{R_2 + R_3} = \frac{V_i - 0.7}{2}$$

Caso 2) Z_1 se encuentra polarizado directamente y Z_2 en zona Zener como se muestra en la figura.

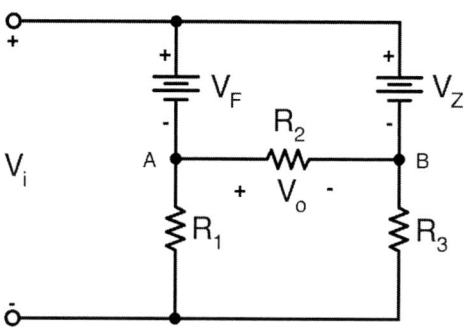

Para que Z_1 conduzca $\rightarrow V_i > V_F$ y para que Z_2 esté en zona Zener $\rightarrow V_i > V_Z$, por lo que $V_i > 5$.

Sabiendo que $V_o = V_A - V_B$, que $V_A = V_i - V_F$ y que $V_B = V_i - V_Z$, se obtiene

$$V_o = V_i - V_F - (V_i - V_Z) = V_Z - V_F = 4.3\,\text{V}$$

Caso 3) Z_1 se encuentra en corte y Z_2 polarizado directamente como se muestra en la figura.

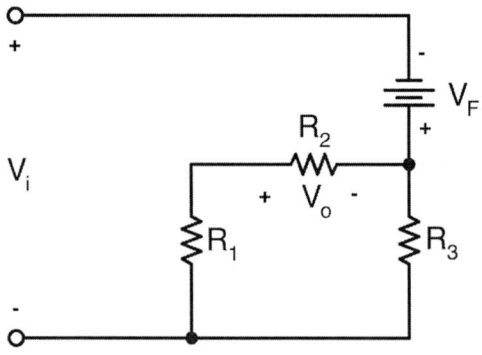

En esta situación, $V_i < -V_F$

$$I_2 = \frac{-V_i - 0.7}{R_1 + R_2}$$

y sabiendo que

$$V_o = R_2 \cdot I_2$$

se tiene

$$V_o = \frac{-V_i - 0.7}{2}$$

Caso 4) Z_1 se encuentra en zona Zener y Z_2 polarizado directamente como se muestra en la figura.

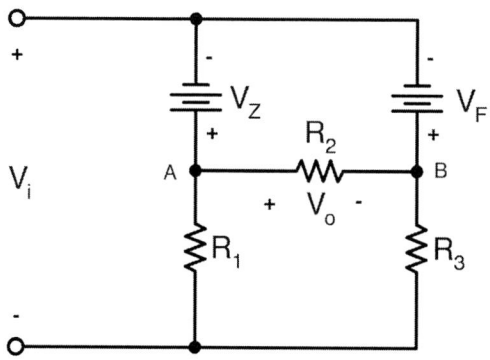

Esta situación se produce cuando $V_i < -V_Z$, es decir, $V_i < -5$.

Sabiendo que $V_o = V_A - V_B$, que $V_A = V_i + V_Z$ y que $V_B = V_i + V_F$, se obtiene

$$V_o = V_i + V_Z - V_i - V_F = V_Z - V_F = 4.3 \text{ V}$$

Caso 5) Ninguno de los dos diodos conduce: $V_o = 0$.

Finalmente, la función de transferencia del circuito es la siguiente:

$$V_o = f(V_i) = \begin{cases} 4.3 & si \quad V_i > 5 \\ \dfrac{V_i - 0.7}{2} & si \quad 0.7 < V_i < 5 \\ 0 & si \quad -0.7 < V_i < 0.7 \\ \dfrac{-V_i - 0.7}{2} & si \quad -5 < V_i < -0.7 \\ 4.3 & si \quad V_i < -5 \end{cases}$$

Problema 15

Determinar la función de transferencia del siguiente circuito.

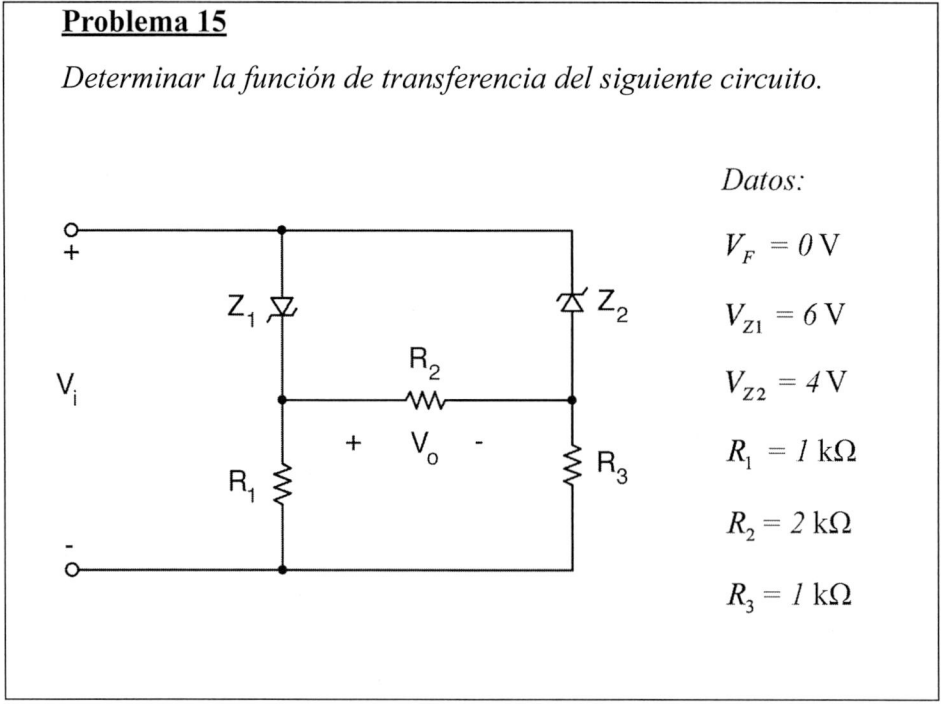

Datos:

$V_F = 0\,V$

$V_{Z1} = 6\,V$

$V_{Z2} = 4\,V$

$R_1 = 1\,k\Omega$

$R_2 = 2\,k\Omega$

$R_3 = 1\,k\Omega$

Se analizan las distintas situaciones que pueden producirse.

Caso 1) Z_1 se encuentra polarizado directamente y Z_2 en corte como se muestra en la figura.

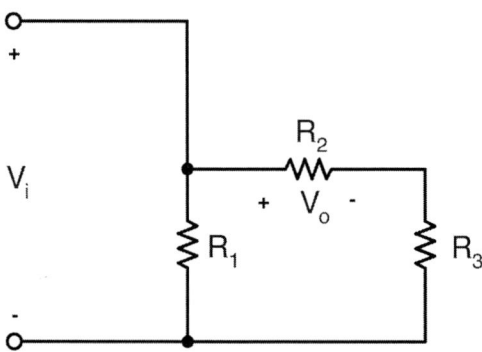

Para que Z_1 conduzca $\rightarrow V_i > V_F$ y para que Z_2 esté en corte $\rightarrow V_i < V_{Z2}$, por lo que $0 < V_i < 4\,V$.

En este caso:

$$I_{R2} = \frac{V_i}{R_2 + R_3} = \frac{V_i}{3 \cdot 10^3}$$

y

$$V_o = R_2 \cdot I_{R2} = 2 \cdot 10^3 \cdot \frac{V_i}{3 \cdot 10^3} = \frac{2}{3} \cdot V_i$$

Caso 2) Z_1 se encuentra polarizado directamente y Z_2, en zona Zener como se muestra en la figura.

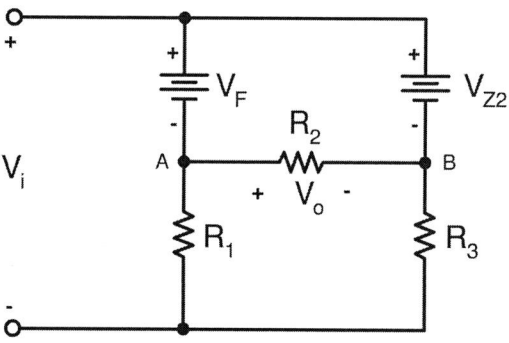

Esta situación se produce cuando $V_i > 4\,V$ y sabiendo que $V_o = V_A - V_B$, que $V_A = V_i$ y que $V_B = V_i - V_{Z2}$, se obtiene

$$V_o = V_i - V_i + V_{Z2} = V_{Z2}$$

Caso 3) Z_1 se encuentra en corte y Z_2 polarizado directamente como se muestra en la figura.

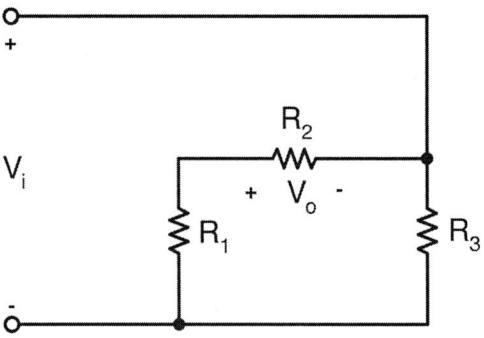

Para que Z_1 esté en corte $\rightarrow V_i > -V_{Z1}$ y para que Z_2 conduzca $\rightarrow V_i < -V_F$, por lo que $-6 < V_i < 0$ V. En este caso:

$$I_{R2} = \frac{-V_i}{R_2 + R_1} = \frac{-V_i}{3 \cdot 10^3}$$

y

$$V_o = R_2 \cdot I_{R2} = 2 \cdot 10^3 \cdot \frac{-V_i}{3 \cdot 10^3} = -\frac{2}{3} \cdot V_i$$

Caso 4) Z_1 se encuentra en zona Zener y Z_2 polarizado directamente como se muestra en la figura:

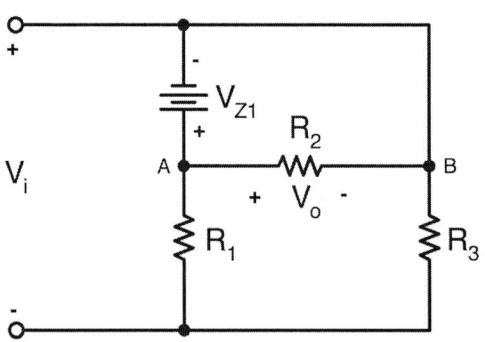

Para que Z_1 se encuentre en zona Zener, $V_i < -6\,\mathrm{V}$ y sabiendo que $V_o = V_A - V_B$, que $V_A = V_i + V_{Z1}$ y que $V_B = V_i$, se obtiene

$$V_o = V_i + V_{Z1} - V_i = V_{Z1} = 6\,\mathrm{V}$$

Caso 5) Ninguno de los dos diodos conduce. Este caso no puede producirse.

Finalmente, la función de transferencia del circuito es la siguiente

$$V_o = \begin{cases} +4 & si \quad V_i > 4 \\[2mm] +\dfrac{2}{3}\cdot V_i & si \quad 0 < V_i < 4 \\[2mm] -\dfrac{2}{3}\cdot V_i & si \quad -6 < V_i < 0 \\[2mm] +6 & si \quad V_i < -6 \end{cases}$$

AMPLIFICADORES LINEALES

Problema 1

En el circuito de la figura, la resistencia de colector vale 500 Ω y la ganancia de corriente en continua del transistor es 60. ¿Cuánto valdrá la resistencia de base para que la tensión colector-emisor sea –15 V? Considerar $V_{BE} = -0.7$ V y $V_{CC} = -30$ V.

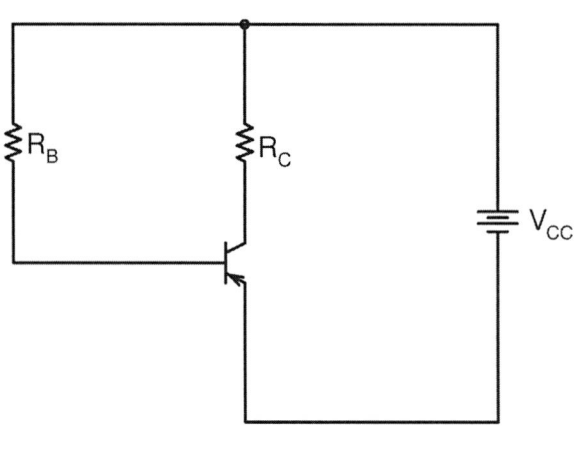

Del circuito se desprende que

$$V_{CC} = V_{CE} + I_C \cdot R_C$$

y

$$I_C = \frac{V_{CC} - V_{CE}}{R_C} = \frac{-30 + 15}{500} = -30\,\text{mA}$$

Nótese que I_C va desde el emisor hasta el colector. Por otro lado, la corriente de base viene determinada por

$$I_B = \frac{I_C}{\beta} = \frac{-30}{60} = -0.5\,\text{mA}$$

Y, por lo tanto, el valor de R_B es

$$R_B = \frac{V_{CC} - V_{BE}}{I_B} = \frac{-30 + 0.7}{-0.5 \cdot 10^{-3}} = 58.6\,\text{k}\Omega$$

Problema 2

Hallar el valor de la resistencia R_B para que el transistor esté saturado.

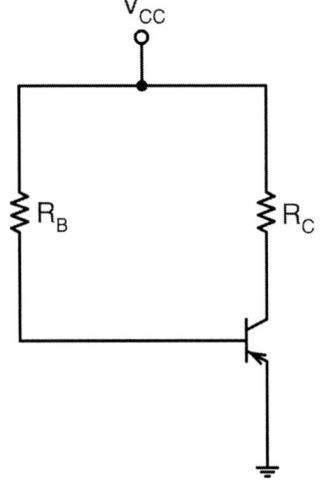

Datos:
$R_C = 100\ \Omega$
$V_{CC} = -10\ \text{V}$
$\beta = 40$
$V_{CE(Sat)} = -0.2\ \text{V}$

Del circuito se desprende que

$$I_C = \frac{V_{CC} - V_{CE(Sat)}}{R_C} = \frac{-10 + 0.2}{100} = -98\ \text{mA}$$

La corriente mínima de base debe ser

$$I_B = \frac{I_C}{\beta_{(min)}} = \frac{-98 \cdot 10^{-3}}{40} = -2.45\ \text{mA}$$

Por lo tanto

$$R_B = \frac{V_{CC} - V_{BE}}{I_B} = \frac{-10 + 0.7}{-2.45 \cdot 10^{-3}} = 3.8\ \text{k}\Omega$$

Problema 3

Dado el siguiente circuito:

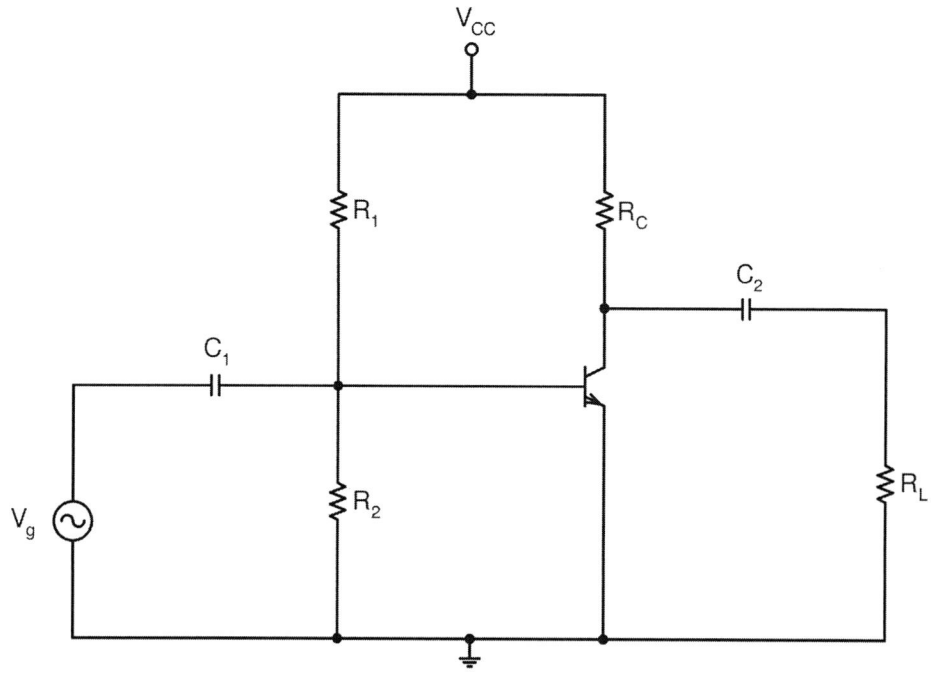

Datos:

$V_g = 10\,\text{mV}$	$R_2 = 4.7\,\text{k}\Omega$	$h_{fe} = 100 = \beta$
$V_{CC} = 20\,\text{V}$	$R_C = 1\,\text{k}\Omega$	$h_{ie} = 1\,\text{k}\Omega = \beta \cdot r_e$
$R_1 = 77\,\text{k}\Omega$	$R_L = 1\,\text{k}\Omega$	

a) Calcular el punto Q de funcionamiento del amplificador.

b) Calcular el valor de la tensión y de la corriente en los puntos de corte de la recta de carga con los ejes x e y.

c) Calcular la ganancia en tensión y en corriente en dB.

d) Calcular la impedancia de entrada y la impedancia de salida.

a) Las corrientes I_1 e I_2 que circulan por las resistencias R_1 y R_2 serán respectivamente

$$I_1 = \frac{V_{CC} - V_{BE}}{R_1} = \frac{20 - 0.7}{77 \cdot 10^3} = 0.25 \, \text{mA}$$

y

$$I_2 = \frac{V_{BE}}{R_2} = \frac{0.7}{4.7 \cdot 10^3} = 0.15 \, \text{mA}$$

Con lo cual, la corriente de base en continua será

$$I_B = I_1 - I_2 = 0.10 \; \text{mA}$$

y la corriente de colector

$$I_C = \beta \cdot I_B = 10 \; \text{mA}$$

Por último, la tensión colector-emisor es

$$V_{CE} = V_{CC} - I_C \cdot R_C = 20 - 10 \cdot 10^{-3} \cdot 1 \cdot 10^3 = 10 \, \text{V}$$

b) La recta de carga viene determinada por

$$V_{CE} = V_{CC} - I_C \cdot R_C$$

Los puntos de corte con los ejes corresponden a los valores de $V_{CE} = 0\text{V}$ y $I_C = 0\text{A}$. Sustituyendo estos valores en la ecuación de la recta de carga se obtiene

$$V_{CE} = V_{CC} = 20\,\text{V}$$

y

$$I_C = \frac{V_{CC}}{R_C} = \frac{20}{1\cdot 10^3} = 20\,\text{mA}$$

c) El circuito equivalente en alterna es el siguiente:

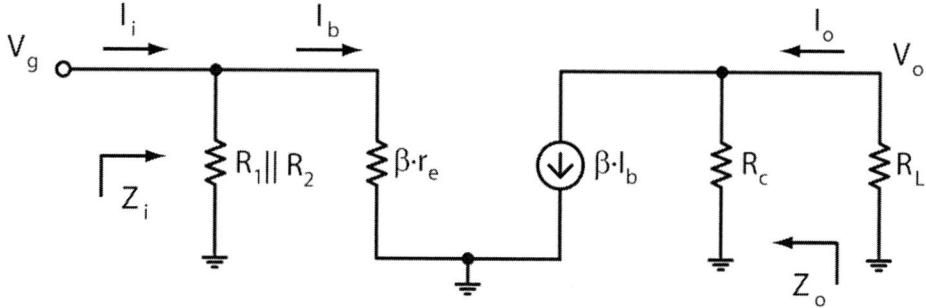

De la malla de entrada se obtiene

$$V_g = I_b \cdot \beta \cdot r_e$$

Por otro lado, de la malla de salida se obtiene

$$V_o = -\beta \cdot I_b \cdot (R_C \parallel R_L)$$

Y, por lo tanto

$$A_V = \frac{V_o}{V_g} = -\frac{R_C \parallel R_L}{r_e} = -\frac{\dfrac{R_C \cdot R_L}{R_C + R_L}}{\dfrac{h_{ie}}{h_{fe}}} = -\frac{500}{10} = -50$$

y expresado en dB

$$A_V(dB) = 20 \cdot \log \mid A_V \mid = 20 \cdot \log 50 = 34 \, \text{dB}$$

Por otro lado, la ganancia en corriente puede calcularse estudiando la malla de entrada

$$I_b = \frac{R_1 \parallel R_2}{R_1 \parallel R_2 + \beta \cdot r_e} \cdot I_i$$

y la malla de salida

$$I_o = \frac{R_C}{R_C + R_L} \cdot \beta \cdot I_b$$

Por lo tanto

$$A_i = \frac{I_o}{I_i} = \frac{\beta \cdot R_C \cdot (R_1 \parallel R_2)}{(R_C + R_L) \cdot (R_1 \parallel R_2 + \beta \cdot r_e)} = 48.4$$

Otra manera de calcular la ganancia de corriente sería la siguiente

$$A_i = -A_V \cdot \frac{Z_i}{R_L} = 50 \cdot \frac{967}{1 \cdot 10^3} = 48.4$$

Y expresado en dB

$$A_i(dB) = 20 \cdot \log \mid A_i \mid = 20 \cdot \log 48.4 = 34 \, \text{dB}$$

d) Para calcular la impedancia de entrada Z_i no se tendrá en cuenta la impedancia de la fuente, por lo tanto

$$Z_i = R_1 \parallel R_2 \parallel h_{ie} = 816\,\Omega$$

Para calcular la impedancia de salida Z_o no se tendrá en cuenta la resistencia de carga R_L

$$Z_o = \left.\frac{V_o}{I_o}\right|_{V_g=0V} = R_C = 1\,k\Omega$$

Problema 4

En el amplificador de la figura siguiente:

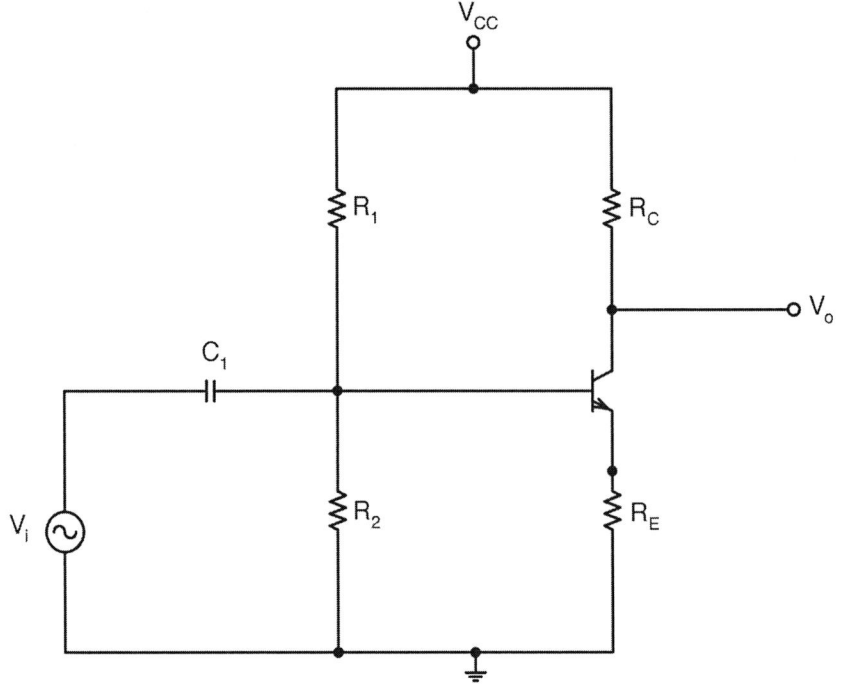

a) Determinar el punto Q.

b) ¿Cuál es la amplitud máxima permitida en la entrada para una salida sin distorsión?

c) ¿Qué sucederá si R_E se reduce a 100 Ω?

Datos:

$V_{CC} = 10$ V, $R_1 = 9$ kΩ, $R_2 = 1$ kΩ, $R_C = 7$ kΩ, $R_E = 1$ kΩ

La corriente I_D por el divisor $R_1 - R_2$ vale

$$I_D = \frac{V_C}{R_1 + R_2} = 1\,\text{mA}$$

y se supondrá mucho mayor que la de la base. De esta manera, la tensión en la base vale

$$V_B = I_D \cdot R_2 = 1\,\text{V}$$

y en el emisor

$$V_E = V_B - V_{BE} = 0.3\,\text{V}$$

Por lo tanto

$$I_{CQ} = \frac{V_E}{R_E} = 0.3\,\text{mA}$$

Por otro lado, $I_B = I_C / \beta < I_D$, tal y como se había supuesto. Por último, la tensión colector-emisor es

$$V_{CEQ} = V_C - I_C \cdot (R_C + R_E) = 7.6\,\text{V}$$

b) La saturación del transistor será la causa que limite la máxima amplitud de la señal de entrada. La corriente de saturación vale

$$I_{C(Sat)} = \frac{V_{CC} - V_{CE(Sat)}}{R_C + R_E} = \frac{10 - 0.2}{8 \cdot 10^3} = 1.23\,\text{mA}$$

Por tanto, cuando el transistor se satura, la tensión en el emisor y en la base serán, respectivamente

$$V_{E(Sat)} = R_E \cdot I_{C(Sat)} = 1.23 \text{ V}$$

$$V_{B(Sat)} = V_{E(Sat)} + V_{BE} = 1.93 \text{ V}$$

Como se puede observar, la tensión en la base $V_{B(Sat)}$ es 0.93 V superior a la tensión de la base en el estado de reposo V_B. Por tanto, la máxima amplitud positiva para una salida sin distorsión será 0.93 V.

Por otro lado el transistor entrará en corte cuando la tensión en la base sea inferior a la tensión $V_{BE} = 0.7$ V.

Por tanto, la máxima variación negativa que podrá tener una señal de entrada alterna será $V_B - V_{BE} = +0.3$ V. De este modo $V_i \in [-0.3, 0.93]$ V.

Para una señal de entrada simétrica la máxima amplitud sin distorsión será la asociada al menor de estos límites en valor absoluto y, por tanto, será igual a 0.3 V.

c) Si R_E se reduce a 100 Ω la corriente que circula por el transistor es

$$I_C = \frac{V_E}{R_E} = \frac{0.3}{100} = 3 \text{ mA}$$

Por otro lado la corriente de saturación será

$$I_{C(Sat)} = \frac{V_{CC} - V_{CE(Sat)}}{R_C + R_E} = \frac{10 - 0.2}{7.1 \cdot 10^3} = 1.38 \text{ mA}$$

Por tanto, si R_E se reduce a 100 Ω, el transistor BJT se satura.

Problema 5

Para el circuito de la figura determinar el valor de la resistencia R_B que hace que el diodo deje de conducir.

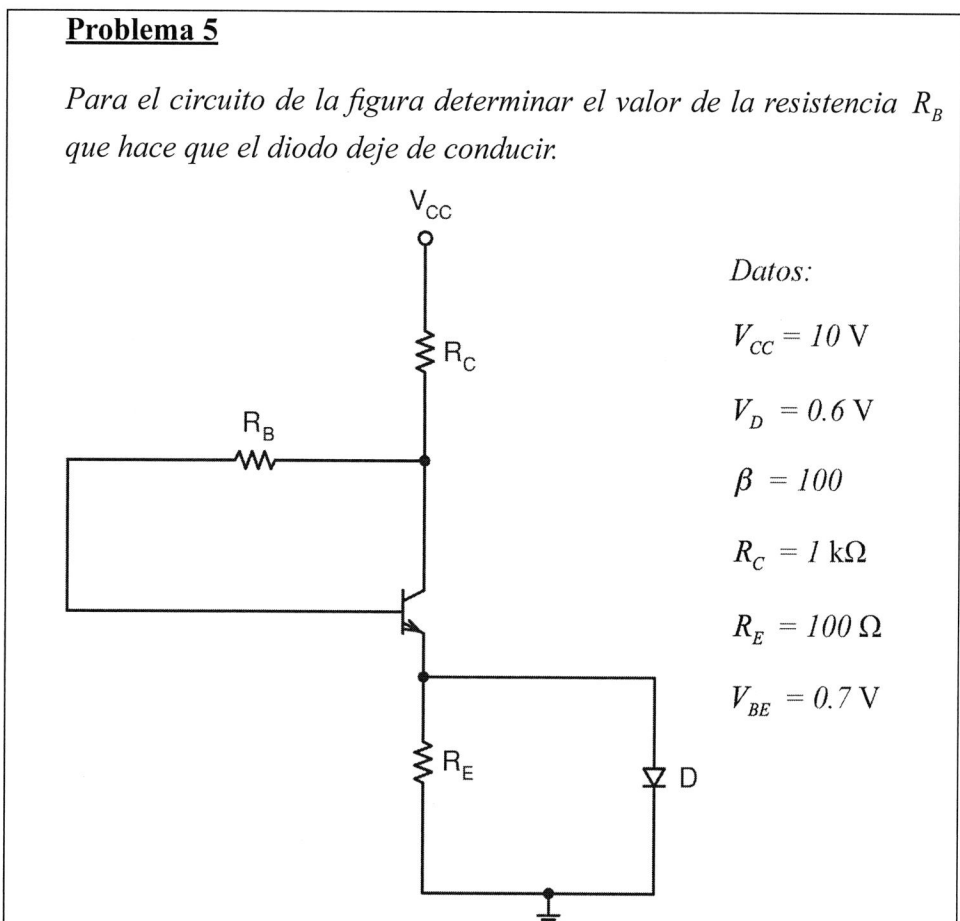

Datos:

$V_{CC} = 10$ V

$V_D = 0.6$ V

$\beta = 100$

$R_C = 1$ kΩ

$R_E = 100$ Ω

$V_{BE} = 0.7$ V

Para que el diodo deje de conducir ha de cumplirse que

$$I_E = \frac{V_F}{R_E} = \frac{0.6}{100} = 6 \, \text{mA}$$

Por otro lado, sabemos que

$$V_{CE} = V_{CC} - I_E \cdot (R_C + R_E) =$$

$$= 10 - 6 \cdot 10^{-3} \cdot (10^3 + 100) = 3.4 \text{ V}$$

Además, sabemos que

$$I_B = \frac{I_E}{\beta + 1} = \frac{6}{100} = 0.06 \text{ mA}$$

y, finalmente

$$R_B = \frac{V_{CE} - V_{BE}}{I_B} = \frac{3.4 - 0.7}{60 \cdot 10^{-6}} = 45 \text{ k}\Omega$$

Problema 6

Se desea que el transistor de la figura trabaje en el punto de funcionamiento definido por los siguientes valores: V_{CE} = 5 V e I_C =5 mA. Determinar los valores de las resistencias R_1, R_2 y R_C sabiendo que R_E =200 Ω, V_{CC}=10 V e I_P=20 mA.

Datos: V_{BE}= 0.3 V, β =100.

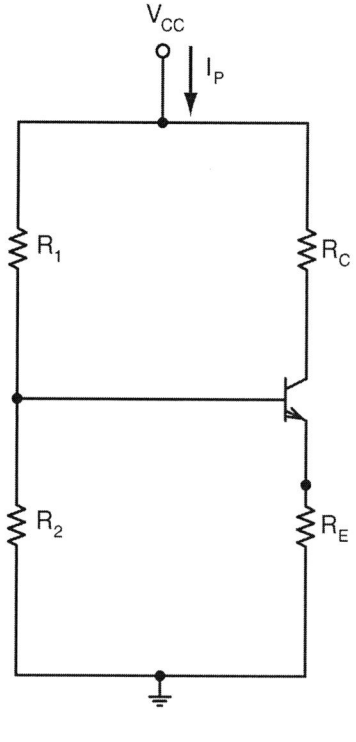

Para su resolución basta con plantear las distintas ecuaciones que definen la corriente que recorre cada una de las resistencias. De esta manera tenemos que

$$R_C = \frac{V_{CC} - V_{CE} - I_E \cdot R_E}{I_C} = \frac{10 - 5 - 5 \cdot 10^{-3} \cdot 200}{5 \cdot 10^{-3}} = 800 \, \Omega$$

$$R_1 = \frac{V_{CC} - V_{BE} - I_E \cdot R_E}{I_P - I_C} = \frac{10 - 0.3 - 5 \cdot 10^{-3} \cdot 200}{20 \cdot 10^{-3} - 5 \cdot 10^{-3}} = 580 \, \Omega$$

$$R_2 = \frac{V_{BE} + I_E \cdot R_E}{I_P - I_C} = \frac{0.3 + 5 \cdot 10^{-3} \cdot 200}{20 \cdot 10^{-3} - 5 \cdot 10^{-3}} = 86.67 \, \Omega$$

Problema 7

Para el circuito de la figura y supuesto que la tensión de entrada es de la forma $V_e = sen(\omega \cdot t)$ se pide:

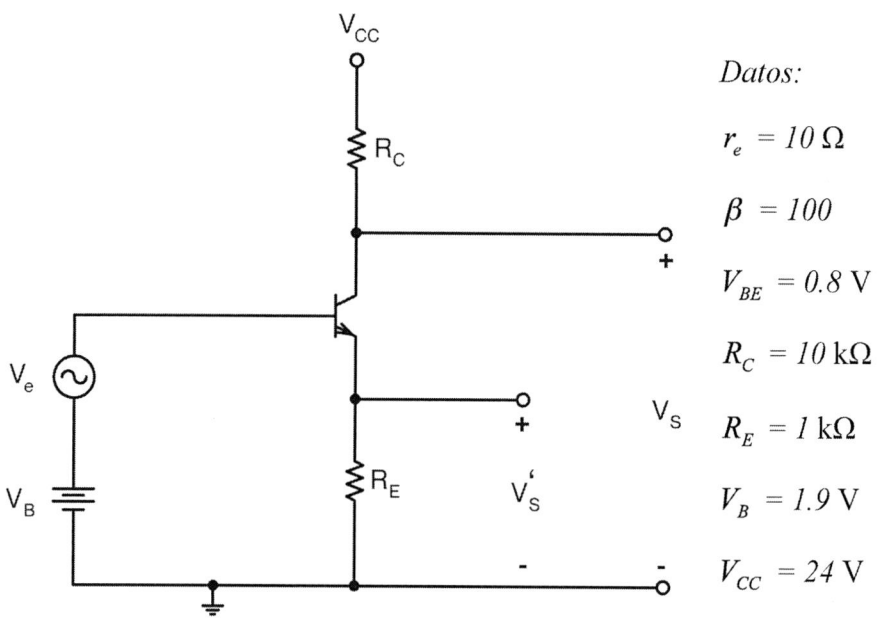

Datos:

$r_e = 10\,\Omega$

$\beta = 100$

$V_{BE} = 0.8\,V$

$R_C = 10\,k\Omega$

$R_E = 1\,k\Omega$

$V_B = 1.9\,V$

$V_{CC} = 24\,V$

a) Componente de continua de la tensión V_S'.

b) Componente de continua de la tensión V_S.

c) Componente de alterna de la tensión V_S'.

d) Componente de alterna de la tensión V_S.

e) Impedancia de entrada.

Para el cálculo de los apartados a) y b) se toma el circuito de continua, por lo que se tiene:

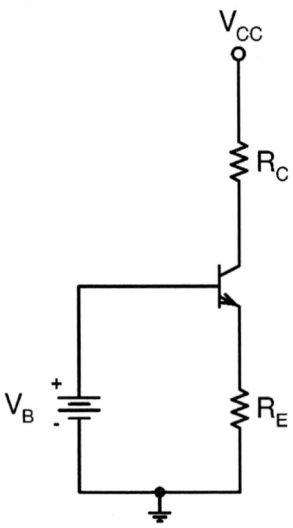

y se deduce que

$$I_E = \frac{V_B - V_{BE}}{R_E} = 1.1\,\text{mA}$$

Por lo tanto,

a)

$$V_S' = V_B - V_{BE} = 1.1\,\text{V}$$

b)

$$V_S = V_{CC} - I_C \cdot R_C = 13\,\text{V}$$

Para el cálculo de los siguientes apartados se utiliza el modelo en alterna del circuito:

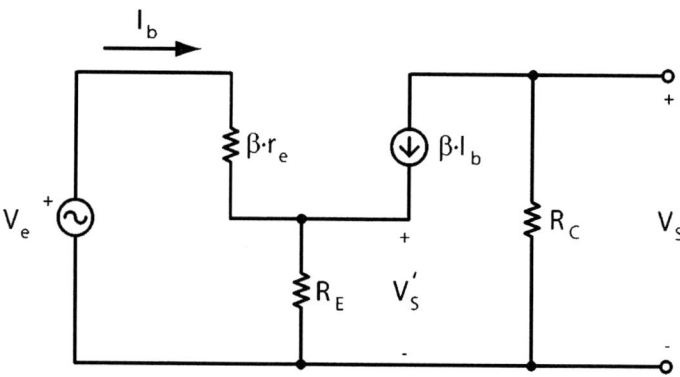

Con lo cual

c)

$$V_S' = V_e \cdot \frac{(\beta + 1) \cdot R_E}{(\beta + 1) \cdot R_E + \beta \cdot r_e} = 0.99 \cdot \text{sen} \, (\omega \cdot t) \, \text{V}$$

d)

$$V_S = V_e \cdot \frac{-\beta \cdot R_C}{(\beta + 1) \cdot R_E + \beta \cdot r_e} = -9.80 \cdot \text{sen} \, (\omega \cdot t) \, \text{V}$$

e) No se tiene en cuenta la resistencia de la fuente, por tanto,

$$Z_i = (\beta + 1) \cdot R_E + \beta \cdot r_e = 102 \, \text{k}\Omega$$

Problema 8

En el circuito de la figura, el transistor está polarizado en la zona activa con $V_{BE} = 0.6$ V y $\beta \gg 1$.

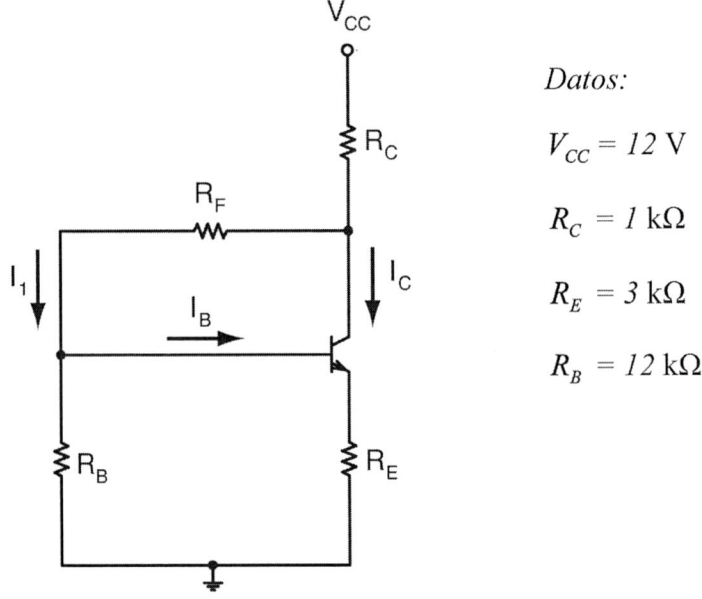

Datos:

$V_{CC} = 12$ V

$R_C = 1$ kΩ

$R_E = 3$ kΩ

$R_B = 12$ kΩ

a) Obtener la expresión de la recta de carga en continua.

b) Calcular R_F para que el transistor esté polarizado de manera que la excursión simétrica sea máxima.

a) De la malla colector-emisor se deduce la ecuación siguiente

$$V_{CC} = R_C \cdot (I_C + I_1) + V_{CE} + R_E \cdot I_E$$

$$V_{CC} \approx R_C \cdot (I_C + I_1) + V_{CE} + R_E \cdot I_C$$

y de la malla base-emisor

$$\left(I_1 - I_B\right)\cdot R_B = V_{BE} + R_E \cdot I_E \approx V_{BE} + R_E \cdot I_C$$

De esta última ecuación se puede despejar el valor de I_1 para obtener

$$I_1 = \frac{I_C}{\beta} + \frac{V_{BE}}{R_B} + \frac{R_E}{R_B}\cdot I_C$$

y sustituyendo este valor en la primera ecuación se obtiene la recta de carga del circuito

$$V_{CC} = I_C \cdot \left[R_C + \frac{R_C}{\beta} + R_E + R_E \cdot \frac{R_C}{R_B}\right] + V_{CE} + \frac{R_C}{R_B}\cdot V_{BE}$$

b) La excursión simétrica máxima se obtendrá cuando el punto Q está centrado en el punto medio de la recta de carga. Sustituyendo los valores que nos proporcionan en el enunciado en la recta de carga se obtiene

$$V_{CE} = 11.95 - 4250\cdot I_C$$

donde se ha supuesto el término $1/\beta \approx 0$.

Calculamos los puntos de corte de la recta de carga con ambos ejes, así

$$V_{CE} = 0 \quad \rightarrow \quad I_C = 2.81\,\text{mA}$$

$$I_C = 0 \quad \rightarrow \quad V_{CE} = 11.95\,\text{V}$$

Para que la excursión sea máxima, el punto Q estará en el medio de la recta de carga, luego será

$$I_{CQ} = 1.4 \text{ mA}$$

$$V_{CEQ} \approx 6 \text{ V}$$

El punto Q se verificará para un valor de R_F, sabiendo que

$$I_{1Q} = \frac{I_{CQ}}{\beta} + \frac{V_{BE}}{R_B} + \frac{R_E}{R_B} \cdot I_{CQ} \approx 0 + \frac{0.6}{12 \cdot 10^3} + \frac{3}{12} \cdot 1.4 \cdot 10^{-3} = 0.4 \text{ mA}$$

y

$$R_F = \frac{V_{CBQ}}{I_{1Q}} = \frac{V_{CEQ} - V_{BEQ}}{I_{1Q}} = \frac{6 - 0.6}{0.4 \cdot 10^{-3}} = 13.5 \text{ k}\Omega$$

Problema 9

En el siguiente amplificador, calcular:

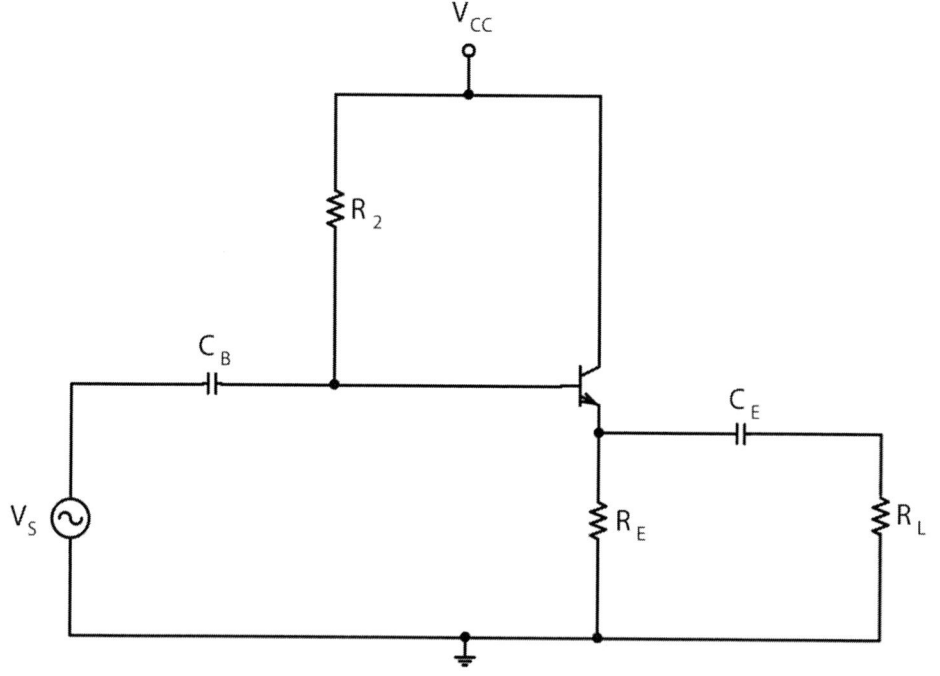

Datos: V_{CC}= 12 V, R_E = 1 kΩ, R_L = 2 kΩ, β = 50, V_{BE} = 0.7 V, r_e = 100 Ω

a) El valor de R_2 de modo que I_{CQ} = 5 mA.

b) El máximo valor de la amplitud de la tensión de salida sin distorsión con I_{CQ} = 5 mA.

c) Los condensadores de acoplo para una frecuencia inferior de corte de 20 Hz, teniendo en cuenta el valor de R_2 obtenido en a).

a) Si $I_{CQ} = 5$ mA, entonces la tensión en la base será

$$V_B = V_E + V_{BE} = I_{CQ} \cdot R_E + V_{BE} = 5.7 \, \text{V}$$

Teniendo en cuenta que la corriente de base vale

$$I_B = \frac{I_Q}{\beta} = 0.1 \, \text{mA}$$

entonces

$$R_2 = \frac{V_{CC} - V_B}{I_B} = \frac{12 - 5.7}{0.1 \cdot 10^{-3}} = 63 \, \text{k}\Omega$$

b) La tensión de salida sin carga será

$$V_E = I_{CQ} \cdot R_E = 5 \cdot 10^{-3} \cdot 1 \cdot 10^3 = 5 \, \text{V}$$

En nuestro caso el amplificador está cargado y para consideraciones de alterna la resistencia global del emisor se verá como si fuese igual a

$$R_E' = R_E \parallel R_L$$

De este modo la tensión de salida será ahora la siguiente

$$V_E = I_{CQ} \cdot R_E' = 5 \cdot 10^{-3} \cdot \left(1k \parallel 2k\right) = 3.33 \, \text{V}$$

Con lo cual, la máxima excursión posible que puede realizar la señal de salida será de 3.33 V. Con una amplitud mayor el transistor entrará en la zona de corte y la señal de salida estará distorsionada.

c) El condensador C_E fijará la frecuencia de corte $\omega_1 = 2\pi \cdot 20$ rad/s y la frecuencia propia de C_B la fijaremos en $\omega'_1 = \omega_1/10 = 2\pi \cdot 2$ rad/s.

Como la impedancia de entrada es

$$Z_i = R_2 \| (\beta+1) \cdot R_E = (63k) \| (51 \cdot 1k) = 28.2 \text{ k}\Omega$$

la capacidad del condensador C_B será

$$C_B = \frac{1}{\omega'_1 \cdot Z_i} = 2.8 \ \mu F$$

Por otro lado la impedancia de salida será

$$Z_o = R_E \| \left(\frac{\beta}{\beta+1}\right) \cdot r_e = (1k) \| \left(\frac{50}{51} \cdot 100\right) = 89.3 \ \Omega$$

y la capacidad del condensador de salida es

$$C_E = \frac{1}{\omega_1 \cdot (R_L + Z_o)} = 3.8 \ \mu F$$

Problema 10

En el siguiente circuito:

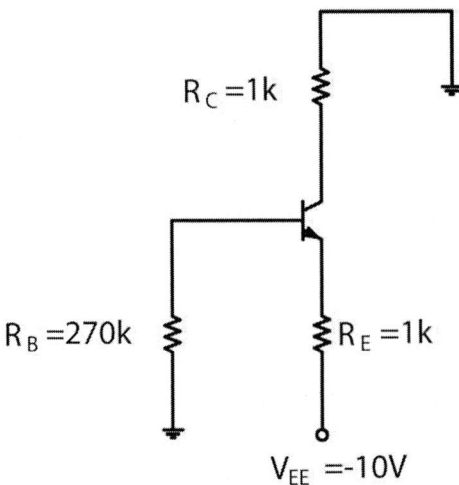

a) Determinar los valores de I_C y V_{CE}. El transistor tiene una $\beta = 100$.

b) Determinar el mínimo valor de R_C para que el transistor esté saturado.

a) Para la malla base-emisor se tiene

$$0 - I_B \cdot R_B - V_{BE} - I_C \cdot R_E - V_{EE} = 0 \tag{1}$$

$$I_C = \beta \cdot I_B \tag{2}$$

y, sustituyendo (2) en (1)

$$I_B = \frac{-V_{EE} - V_{BE}}{R_B + \beta \cdot R_E} = \frac{10 - 0.7}{270000 + 100 \cdot 1000} = 0.03 \, \text{mA}$$

con lo que

$$I_C = \beta \cdot I_B = 100 \cdot 0.025 = 2.5 \, \text{mA}$$

Para la malla colector-emisor

$$0 - I_C \cdot R_C - V_{CE} - I_E \cdot R_E - V_{EE} = 0 \qquad (3)$$

$$I_C \approx I_E \qquad (4)$$

y, sustituyendo (4) en (3)

$$V_{CE} = -V_{EE} - I_C \cdot (R_C + R_E) = 10 - 0.0025 \cdot (1000 + 1000) = 5 \, \text{V} \qquad (5)$$

b) Si el transistor está saturado, entonces $V_{CE(sat)} = 0.2$ V. En este caso límite, se cumplirá que $I_{C(sat)} = I_C$. Por tanto, despejando de (5) se tiene

$$R_C = \frac{-V_{EE} - V_{CE(sat)} - I_{C(sat)} \cdot R_E}{I_{C(sat)}} =$$

$$= \frac{10 - 0.2 - 0.0025 \cdot 1000}{0.0025} = 2.9 \, \text{k}\Omega$$

Problema 11

Dado el circuito de la siguiente figura:

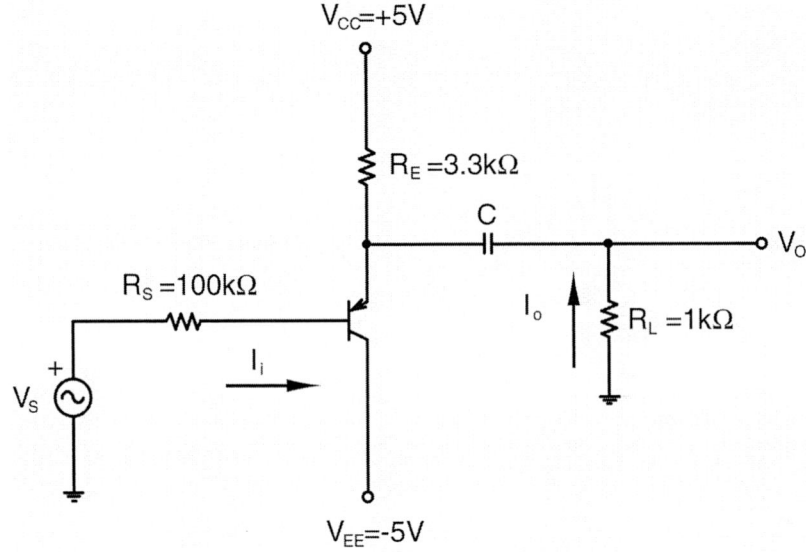

a) Calcular los parámetros característicos en continua: I_B, I_C y V_{CE}.

b) Calcular los parámetros característicos en alterna: impedancia de entrada Z_i, impedancia de salida Z_o, la ganancia en tensión $A_V = V_o / V_S$ y la ganancia en corriente $A_i = I_o / I_i$, expresadas en dB teniendo en cuenta que $\beta = 50$.

c) Si la amplitud máxima de la señal v_{be} es de 5 mV, ¿cuál es el valor máximo de señal aplicable a la entrada del amplificador? ¿Cuál es el correspondiente valor de señal a la salida del amplificador?

a) Para la malla emisor-base se tiene

$$V_{CC} - I_E \cdot R_E - V_{EB} - I_B \cdot R_S = 0 \tag{1}$$

$$I_E = (\beta + 1) \cdot I_B \tag{2}$$

y, sustituyendo (2) en (1)

$$I_B = \frac{V_{CC} - V_{EB}}{R_S + (\beta + 1) \cdot R_E} = \frac{5 - 0.7}{100000 + (50 + 1) \cdot 3300} = 0.016 \text{ mA}$$

con lo que

$$I_C = \beta \cdot I_B = 50 \cdot 0.016 = 0.8 \text{ mA}$$

Para la malla emisor-colector

$$V_{CC} - V_{EE} = I_E \cdot R_E + V_{EC} \tag{3}$$

$$I_C \approx I_E \tag{4}$$

y, sustituyendo (4) en (3)

$$V_{EC} = V_{CC} - V_{EE} - I_C \cdot R_E = 10 - 0.0008 \cdot 3300 = 7.36 \text{ V}$$

b) El circuito equivalente de pequeña señal con el transistor en configuración de colector común corresponde a la siguiente figura

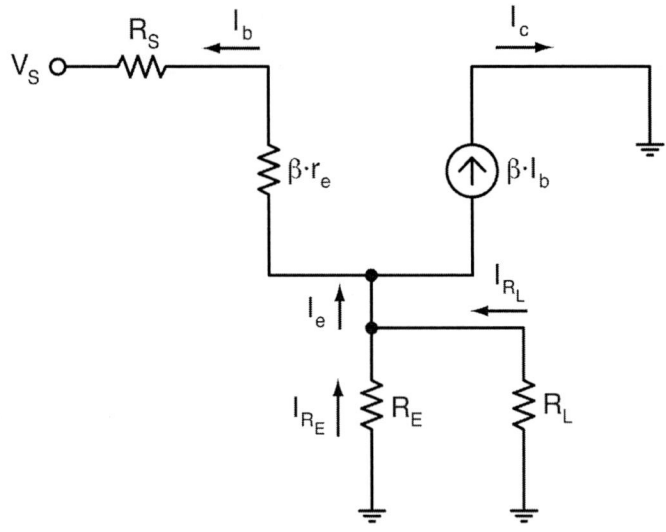

siendo

$$\beta \cdot r_e = \frac{26\,mV}{I_B\,(mA)} = 1625\,\Omega$$

$$r_e = 32.5\,\Omega$$

- Impedancia de entrada Z_i

Del circuito se desprende que

$$0 - I_e \cdot (R_E \parallel R_L) - I_b \cdot (\beta \cdot r_e + R_S) - V_S = 0 \qquad (5)$$

$$I_e = (\beta + 1) \cdot I_b$$

$$I_i = -I_b$$

de donde

$$V_S = (\beta + 1) \cdot I_i \cdot (R_E \parallel R_L) + I_i \cdot (\beta \cdot r_e + R_S)$$

y

$$Z_i = \frac{V_S}{I_i} = (\beta+1)\cdot(R_E \parallel R_L) + (\beta\cdot r_e + R_S) = 140.8 \text{ k}\Omega$$

- Ganancia de tensión A_V

A partir de (5) se obtiene

$$V_S = -I_e \cdot (R_E \parallel R_L) - \frac{I_e}{\beta+1}\cdot(\beta\cdot r_e + R_S) \qquad (6)$$

$$V_o = -I_e \cdot (R_E \parallel R_L) \qquad (7)$$

de donde

$$A_V = \frac{V_o}{V_S} = \frac{(R_E \parallel R_L)}{(R_E \parallel R_L) + \dfrac{\beta\cdot r_e + R_S}{\beta+1}} = 0.28$$

y en dB

$$A_V(dB) = 20\log |A_V| = 20\log |0.28| = -11\text{dB}$$

- Impedancia de salida Z_o (no se considera R_L)

$$Z_o = \frac{V_o}{I_o}\bigg|_{V_S=0V}$$

Con estas consideraciones, las ecuaciones (6) y (7) se pueden expresar de la siguiente manera

$$0 = -I_{RE} \cdot R_E - \frac{I_e}{\beta+1}\cdot(\beta\cdot r_e + R_S) \qquad (8)$$

$$V_o = -I_{RE} \cdot R_E$$

Además, se cumplirá

$$I_o + I_{RE} = I_e$$

y de (8) se tiene que

$$I_{RE} = -\frac{\beta \cdot r_e + R_S}{R_E \cdot (\beta + 1)} \cdot I_e \tag{9}$$

de donde

$$Z_o = \frac{V_o}{I_o}\bigg|_{V_S = 0V} = \frac{\dfrac{\beta \cdot r_e + R_S}{R_E \cdot (\beta + 1)} \cdot I_e \cdot R_E}{I_e + \dfrac{\beta \cdot r_e + R_S}{R_E \cdot (\beta + 1)} \cdot I_e} = \frac{(\beta \cdot r_e + R_S) \cdot R_E}{R_E \cdot (\beta + 1) + \beta \cdot r_e + R_S} =$$

$$= \frac{R_E \cdot \dfrac{\beta \cdot r_e + R_S}{\beta + 1}}{R_E + \dfrac{\beta \cdot r_e + R_S}{\beta + 1}} = R_E \parallel \left[\dfrac{\beta \cdot r_e + R_S}{\beta + 1}\right] = 1.24\,\text{k}\Omega$$

- Ganancia de corriente A_i

Del circuito se desprende que

$$V_o = -I_{RE} \cdot R_E = -I_{RL} \cdot R_L \quad \Rightarrow \quad I_{RE} = \frac{R_L}{R_E} \cdot I_{RL}$$

y

$$I_e = I_{RE} + I_{RL} = \left(1 + \frac{R_L}{R_E}\right) \cdot I_{RL}$$

$$I_b = \frac{I_e}{\beta+1} = \frac{1+\dfrac{R_L}{R_E}}{\beta+1} \cdot I_{RL}$$

Finalmente

$$A_i = \frac{I_o}{I_i} = \frac{I_{RL}}{-I_b} = \frac{-I_{RL}}{\dfrac{\left(1+\dfrac{R_L}{R_E}\right)}{(\beta+1)} \cdot I_{RL}} = \frac{-\beta+1}{1+\dfrac{R_L}{R_E}} = -39$$

y en dB

$$A_i\,(dB) = 20\,\log\,|A_i| = 20\,\log\,|\,39\,| = 32\;\text{dB}$$

c) Dado que v_{be} = 5mV, observando el circuito de alterna de pequeña señal se deduce

$$v_{be} = +I_b \cdot \beta \cdot r_e \quad \Rightarrow \quad I_b = \frac{v_{be}}{\beta \cdot r_e}$$

$$I_e = (\beta+1)\cdot I_b = (\beta+1)\cdot\frac{v_{be}}{\beta \cdot r_e}$$

Sustituyendo I_e por su valor y utilizando las ecuaciones (6) y (7) se tiene

$$V_S = -\left[(\beta+1)\cdot\frac{v_{be}}{\beta\cdot r_e}\right]\cdot(R_E\parallel R_L) - \left[(\beta+1)\cdot\frac{v_{be}}{\beta\cdot r_e}\right]\cdot\frac{\beta\cdot r_e + R_S}{\beta+1} =$$
$$= -0.12 - 0.31 = -0.43\,\text{V}$$

$$V_o = -\left[(\beta+1)\cdot\frac{v_{be}}{\beta\cdot r_e}\right]\cdot(R_E\parallel R_L) = -0.12\,\text{V}$$

Problema 12

En el circuito amplificador de la figura, el transistor bipolar utilizado tiene un valor de β comprendido en el rango $20 \leq \beta \leq 200$. Calcular, para los valores extremos de β ($\beta = 20$ y $\beta = 200$):

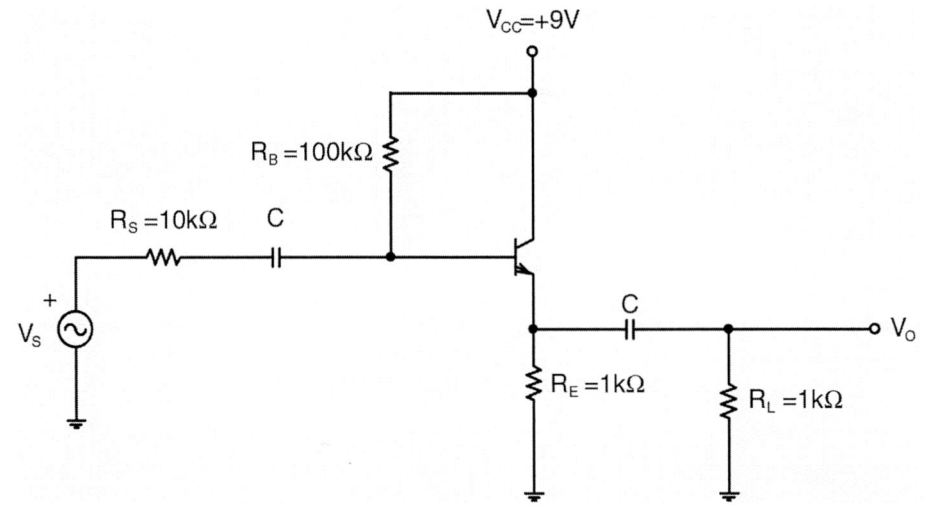

a) El valor de I_E, V_E y V_B.

b) La impedancia de entrada Z_i.

c) La ganancia de tensión $A_V = V_O/V_S$, expresada en dB.

d) La impedancia de salida Z_o.

e) La ganancia de corriente $A_i = I_O/I_i$

a) Para la malla de entrada base-emisor se tiene

$$V_{CC} - I_E \cdot R_E - V_{BE} - I_B \cdot R_B = 0 \tag{1}$$

$$I_E = (\beta + 1) \cdot I_B \tag{2}$$

y, sustituyendo (2) en (1)

$$I_B = \frac{V_{CC} - V_{BE}}{R_B + (\beta+1)\cdot R_E} \quad \Rightarrow \quad \begin{cases} I_{B(\beta=20)} = 0.069 \quad \text{mA} \\ I_{B(\beta=200)} = 0.028 \quad \text{mA} \end{cases}$$

y, sustituyendo (2) en (1)

$$I_E = (\beta+1)\cdot I_B \quad \Rightarrow \quad \begin{cases} I_{E(\beta=20)} = 1.44 \quad \text{mA} \\ I_{E(\beta=200)} = 5.54 \quad \text{mA} \end{cases}$$

Finalmente

$$V_B = V_E + V_{BE} = I_E\cdot R_E + V_{BE} \quad \Rightarrow \quad \begin{cases} V_{B(\beta=20)} = 2.14 \quad \text{V} \\ V_{B(\beta=200)} = 6.24 \quad \text{V} \end{cases}$$

b) El circuito equivalente para el análisis de alterna es el siguiente

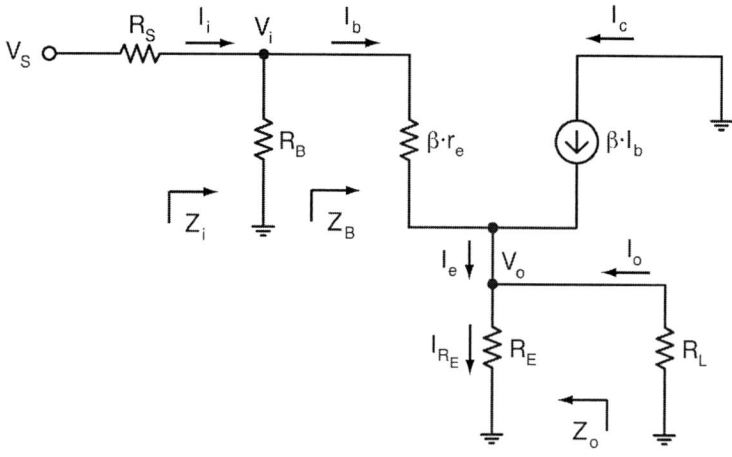

del que se desprende

$$V_i = I_b \cdot \beta \cdot r_e + I_e \cdot (R_E \parallel R_L)$$

$$V_i = I_b \cdot \beta \cdot r_e + (\beta+1)\cdot I_b \cdot (R_E \parallel R_L)$$

y

$$Z_{B(\beta=20)} = \frac{V_i}{I_b} = \beta \cdot r_e + (\beta+1) \cdot (R_E \| R_L) = 10.86 \, k\Omega$$

$$Z_{B(\beta=200)} = \frac{V_i}{I_b} = \beta \cdot r_e + (\beta+1) \cdot (R_E \| R_L) = 101.44 \, k\Omega$$

Finalmente, R_S no se considera ya que es la resistencia de la fuente

$$Z_{i(\beta=20)} = \frac{V_i}{I_i} = (R_B \| Z_{B(\beta=20)}) = 9.80 \, k\Omega$$

$$Z_{i(\beta=200)} = \frac{V_i}{I_i} = (R_B \| Z_{B(\beta=200)}) = 51.01 \, k\Omega$$

c) Se calcula el equivalente Thévenin mediante la siguiente figura

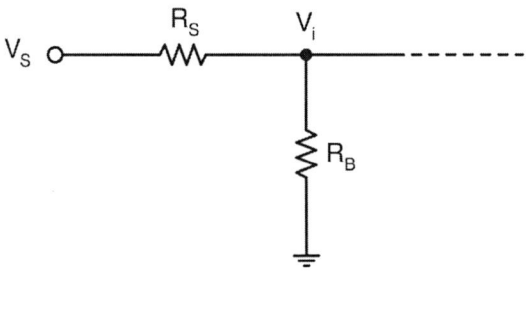

donde

$$V_{Th} = V_i = \frac{R_B}{R_B + R_S} \cdot V_S \quad y \quad R_{Th} = R_S \| R_B$$

Se puede calcular que

$$V_{Th} - I_b \cdot R_{Th} - I_b \cdot \beta \cdot r_e - I_e \cdot \left(R_E \parallel R_L \right) = 0$$

$$V_o = I_e \cdot \left(R_E \parallel R_L \right)$$

$$I_e = I_b \cdot \left(\beta + 1 \right)$$

de donde

$$\frac{V_o}{V_{Th}} = \frac{\left(\beta + 1 \right) \cdot \left(R_E \parallel R_L \right)}{R_{Th} + \beta \cdot r_e + \left(\beta + 1 \right) \cdot \left(R_E \parallel R_L \right)}$$

finalmente

$$A_V = \frac{V_{Th}}{V_S} \cdot \frac{V_o}{V_{Th}} = \frac{R_B}{R_B + R_S} \cdot \frac{\left(\beta + 1 \right) \cdot \left(R_E \parallel R_L \right)}{R_{Th} + \beta \cdot r_e + \left(\beta + 1 \right) \cdot \left(R_E \parallel R_L \right)}$$

$$A_{V(\beta=20)} = 0.48$$

$$A_{V(\beta=200)} = 0.83$$

y en dB

$$A_{V(\beta=20)}(dB) = 20\log \mid A_{V(\beta=20)} \mid = 20\log \mid 0.48 \mid = -6.4\,dB$$

$$A_{V(\beta=200)}(dB) = 20\log \mid A_{V(\beta=200)} \mid = 20\log \mid 0.83 \mid = -1.7\,dB$$

d) Para calcular la impedancia de salida no se considera R_L.

$$V_S = 0V \quad \Rightarrow \quad V_{Th} = 0V$$

$$I_o + I_e = I_{RE} \quad \Rightarrow \quad I_o = I_{RE} - I_e$$

$$V_o = I_{RE} \cdot R_E$$

Por otro lado

$$0 - I_b \cdot R_{Th} - I_b \cdot \beta \cdot r_e - I_{RE} \cdot R_E = 0$$

$$0 - \frac{R_{Th} + \beta \cdot r_e}{\beta + 1} \cdot I_e - I_{RE} \cdot R_E = 0$$

de donde

$$I_e = -\frac{(\beta + 1) \cdot R_E}{R_{Th} + \beta \cdot r_e} \cdot I_{RE}$$

y

$$I_o = I_{RE} + \frac{(\beta + 1) \cdot R_E}{R_{Th} + \beta \cdot r_e} \cdot I_{RE} = \left[\frac{R_{Th} + \beta \cdot r_e + (\beta + 1) \cdot R_E}{R_{Th} + \beta \cdot r_e} \right] \cdot I_{RE}$$

Por lo que

$$Z_o = \left. \frac{V_o}{I_o} \right|_{V_S = 0V} = \frac{I_{RE} \cdot R_E}{\left[\dfrac{R_{Th} + \beta \cdot r_e + (\beta + 1) \cdot R_E}{R_{Th} + \beta \cdot r_e} \right] \cdot I_{RE}} =$$

$$= \frac{R_E \cdot (R_{Th} + \beta \cdot r_e)}{R_{Th} + \beta \cdot r_e + (\beta + 1) \cdot R_E} = \frac{R_E \cdot \dfrac{R_{Th} + \beta \cdot r_e}{\beta + 1}}{R_E + \dfrac{R_{Th} + \beta \cdot r_e}{\beta + 1}} = R_E \parallel \left[\frac{R_{Th} + \beta \cdot r_e}{\beta + 1} \right]$$

y para los distintos valores de β

$$Z_{o(\beta = 20)} = 310.4\Omega$$

$$Z_{o(\beta = 200)} = 47.5\Omega$$

e) Para calcular la ganancia de corriente, por la malla de salida se sabe que

$$-I_0 \cdot R_L = I_e \cdot \left(R_E \parallel R_L\right) = (\beta + 1) \cdot I_b \cdot \left(R_E \parallel R_L\right)$$

y de la malla de entrada

$$I_b = \frac{R_B}{R_B + Z_B} \cdot I_i$$

de donde se deduce

$$A_i = \frac{I_o}{I_i} = -\frac{(\beta + 1) \cdot I_b \cdot \dfrac{\left(R_E \parallel R_L\right)}{R_L}}{\dfrac{R_B + Z_B}{R_B} \cdot I_b} = -\frac{(\beta + 1) \cdot R_B \cdot \left(R_E \parallel R_L\right)}{R_L \cdot \left(R_B + \beta \cdot r_e + (\beta + 1) \cdot \left(R_E \parallel R_L\right)\right)}$$

y para los distintos valores de β

$$A_{i(\beta=20)} = -9.47$$

$$A_{i(\beta=200)} = -49.89$$

resultando en dB

$$A_{i(\beta=20)}(dB) = 20 \log \mid A_{i(\beta=20)} \mid = 20 \log \mid -9.47 \mid = 19.5\,\text{dB}$$

$$A_{i(\beta=200)}(dB) = 20 \log \mid A_{i(\beta=200)} \mid = 20 \log \mid -49.89 \mid = 34\,\text{dB}$$

Problema 13

En el circuito amplificador de la figura, realizar el análisis en continua y calcular los siguientes parámetros cuando $\beta = 330$ y $V_{BE} = 0.7$ V:

a) Ganancia de tensión $A_V = V_o / V_S$, expresada en dB.

b) Impedancia de entrada Z_i.

c) Ganancia de corriente $A_i = I_o / I_i$, expresada en dB.

d) Impedancia de salida Z_o.

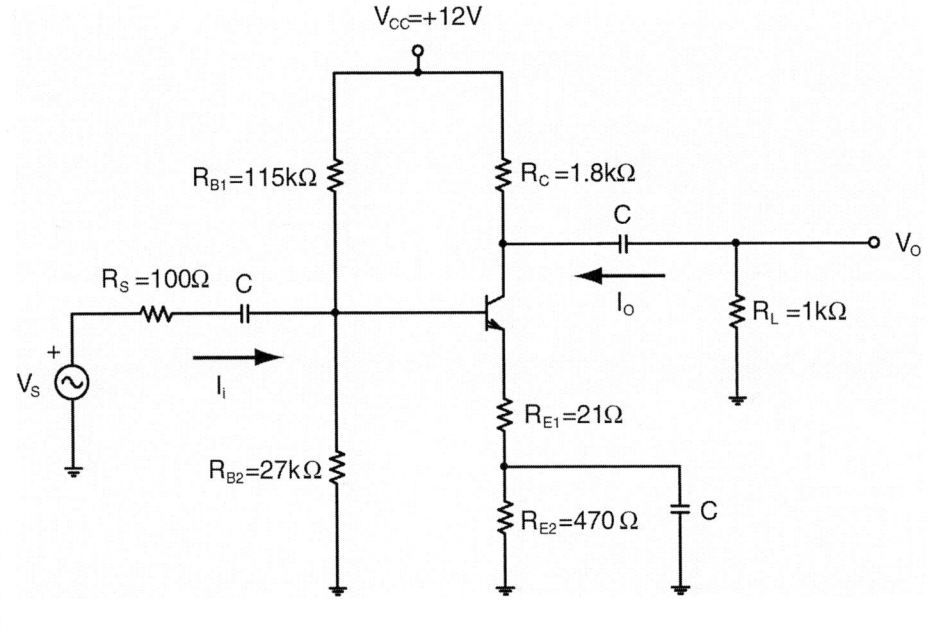

Para el análisis en continua, se calcula el equivalente Thévenin a la entrada, quedando

$$V_{Th} = V_B = \frac{R_{B2}}{R_{B1} + R_{B2}} \cdot V_{CC} \quad y \quad R_{Th} = R_{B1} \| R_{B2}$$

El análisis en la malla de entrada muestra

$$V_{Th} - I_B \cdot R_{Th} - V_{BE} - I_E \cdot (R_{E1} + R_{E2}) = 0$$

$$V_{Th} - I_B \cdot R_{Th} - V_{BE} - (\beta + 1) \cdot I_B \cdot (R_{E1} + R_{E2}) = 0$$

$$I_B = \frac{V_{Th} - V_{BE}}{R_{Th} + (\beta + 1) \cdot (R_{E1} + R_{E2})} = 8.6\,\mu A$$

$$I_C = \beta \cdot I_B = 2.8\,mA$$

Del análisis de la malla de salida se desprende

$$V_{CC} - I_C \cdot R_C - V_{CE} - I_E \cdot (R_{E1} + R_{E2}) = 0$$

$$I_C \approx I_E$$

$$V_{CC} - I_C \cdot R_C - V_{CE} - I_C \cdot (R_{E1} + R_{E2}) = 0$$

y finalmente

$$V_{CE} = V_{CC} - I_C \cdot (R_C + R_{E1} + R_{E2}) = 5.6\,V$$

Además

$$r_e = \frac{26mV}{I_E} = 9.3\,\Omega$$

a) El circuito equivalente en alterna se muestra en la siguiente figura

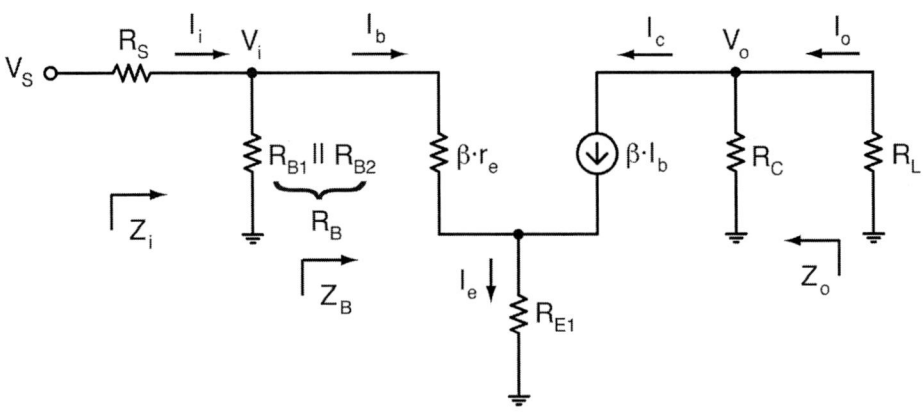

El equivalente Thévenin a la entrada proporciona

$$V_{Th} = V_i = \frac{R_B}{R_S + R_B} \cdot V_S \quad y \quad R_{Th} = R_S \parallel R_B$$

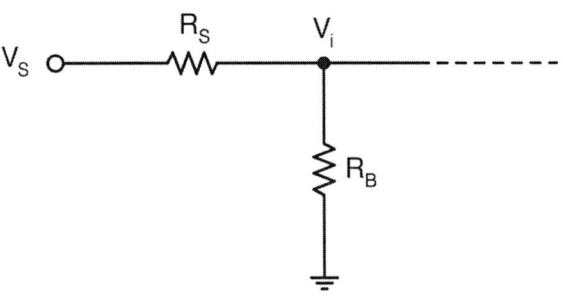

y del análisis de la malla de entrada del circuito se desprende

$$V_{Th} - I_b \cdot R_{Th} - I_b \cdot \beta \cdot r_e - I_e \cdot R_{E1} = 0$$

$$V_{Th} - I_b \cdot R_{Th} - I_b \cdot \beta \cdot r_e - (\beta + 1) \cdot I_b \cdot R_{E1} = 0$$

$$V_{Th} = I_b \cdot \left[R_{Th} + \beta \cdot r_e + (\beta + 1) \cdot R_{E1} \right]$$

$$V_o = -I_c \cdot (R_C \| R_L) = -\beta \cdot I_b \cdot (R_C \| R_L)$$

de donde

$$\frac{V_o}{V_{Th}} = \frac{-\beta \cdot (R_C \| R_L)}{R_{Th} + \beta \cdot r_e + (\beta + 1) \cdot R_{E1}}$$

finalmente

$$A_V = \frac{V_{Th}}{V_S} \cdot \frac{V_o}{V_{Th}} = \frac{R_B}{R_B + R_S} \cdot \frac{-\beta \cdot (R_C \| R_L)}{R_{Th} + \beta \cdot r_e + (\beta + 1) \cdot R_{E1}} = 28.5$$

resultando en dB

$$A_V (dB) = 20 \log |A_V| = 20 \log |28.5| = 29 \text{ dB}$$

b) Para calcular la impedancia de entrada no se considera R_S

$$V_i - I_b \cdot \beta \cdot r_E - I_e \cdot R_{E1} = 0$$

$$V_i - I_b \cdot \beta \cdot r_E - (\beta + 1) \cdot I_b \cdot R_{E1} = 0$$

de donde

$$Z_B = \frac{V_i}{I_b} = \beta \cdot r_E + (\beta + 1) \cdot R_{E1} = 7.37 \text{ k}\Omega$$

y

$$Z_i = R_B \| Z_B = 5.51\,\text{k}\Omega$$

c) Para calcular la ganancia de corriente se deduce

$$I_b = \frac{R_B}{Z_B + R_B} \cdot I_i \quad e \quad I_i = \frac{R_B + Z_B}{R_B} \cdot I_b$$

$$I_o = \frac{R_C}{R_C + R_L} \cdot I_c = \frac{R_C}{R_C + R_L} \cdot \beta \cdot I_b$$

y, finalmente

$$A_i = \frac{I_o}{I_i} = \frac{\dfrac{R_C}{R_C + R_L} \cdot \beta \cdot I_b}{\dfrac{R_B + Z_B}{R_B} \cdot I_b} = \frac{\beta \cdot R_B \cdot R_C}{(R_C + R_L) \cdot (R_B + Z_B)} =$$

$$= \frac{\beta \cdot R_B \cdot R_C}{(R_C + R_L) \cdot (R_B + \beta \cdot r_e + (\beta+1) \cdot R_{E1})} = 159$$

resultando en dB

$$A_i\,(dB) = 20\,\log |A_i| = 20\,\log |159| = 44\ \text{dB}$$

d) Para calcular la impedancia de salida no se considera R_L. Además, la fuente de corriente está en circuito abierto

$$V_S = 0 \quad \Rightarrow \quad I_b = 0 \quad \Rightarrow \quad I_c = 0$$

de donde

$$Z_o = \left. \frac{V_o}{I_o} \right|_{V_S = 0V} = R_C = 1.8\,\text{k}\Omega$$

Problema 14

Dado el siguiente circuito con $\beta = 100$ y $V_{BE} = 0.7$ V, determinar:

a) El punto de polarización del transistor.

b) La impedancia de entrada, la impedancia de salida, la ganancia en tensión y ganancia en corriente.

c) La frecuencia de corte inferior.

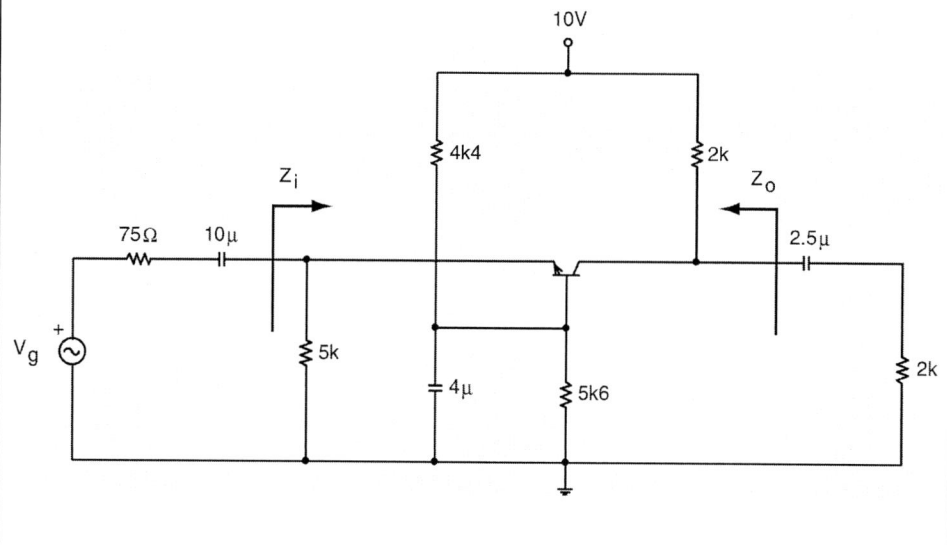

a) El circuito equivalente en continua es

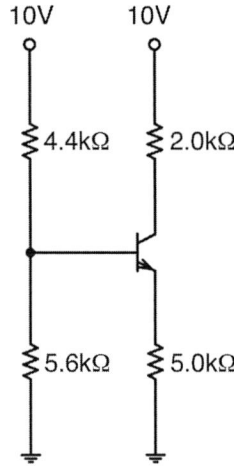

Para la malla de entrada se calcula el equivalente Thévenin

$$V_{Th} = \frac{5600}{5600 + 4400} \cdot 10\,\text{V}$$

$$R_{Th} = 5600 \parallel 4400\,\Omega$$

y del análisis de la malla de entrada base-emisor del circuito se tiene

$$V_{Th} - I_B \cdot R_{Th} - V_{BE} - I_E \cdot 5000 = 0$$

$$V_{Th} - I_B \cdot R_{Th} - V_{BE} - (\beta + 1) \cdot I_B \cdot 5000 = 0$$

de donde

$$I_B = \frac{V_{Th} - V_{BE}}{R_{Th} + (\beta + 1) \cdot 5000} = 0.01\,\text{mA}$$

$$I_C = \beta \cdot I_B = 1\,\text{mA}$$

De la malla de salida se deduce

$$10 - I_C \cdot 2000 - V_{CE} - I_E \cdot 5000 = 0$$

$$I_C \approx I_E$$

$$V_{CE} = 10 - I_C \cdot (2000 + 5000) = 3 \text{ V}$$

b) Para el análisis en alterna, el circuito equivalente es el siguiente

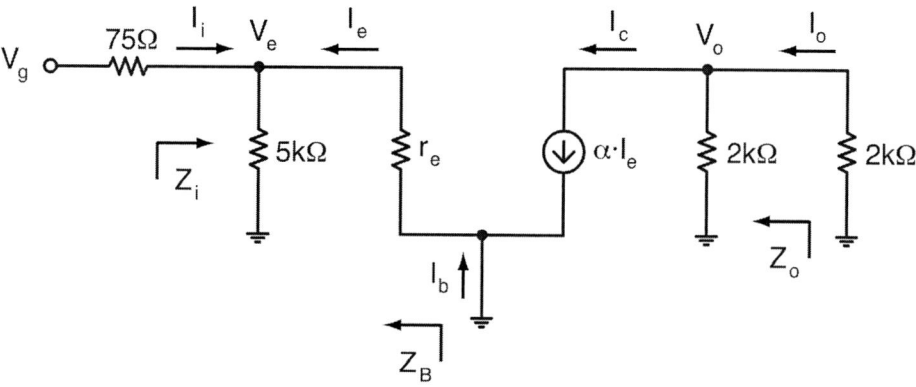

Se calcula r_e de la siguiente manera

$$r_e = \frac{26\,mV}{I_E(mA)} = 26\,\Omega$$

Por otro lado

$$\alpha = \frac{\beta}{\beta + 1} = 0.99$$

Para calcular la impedancia de entrada no se tiene en cuenta R_S, y para calcular la impedancia de salida no se tendrá en cuenta R_L, por lo que

$$Z_i = 5000 \parallel 26 = 25.86 \, \Omega$$

$$Z_o = 2 \, k\Omega$$

- En cuanto a la ganancia en tensión, en primer lugar se realizará el equivalente Thévenin en la entrada

$$V_{Th} = \frac{5000}{5000 + 75} \cdot V_g$$

$$R_{Th} = 5000 \parallel 75 \, \Omega$$

y, del análisis de la malla de entrada del circuito se desprende

$$V_{Th} - I_i \cdot R_{Th} - I_i \cdot r_e = 0$$

$$V_{Th} + I_e \cdot R_{Th} + I_e \cdot r_e = 0$$

$$V_o = -\alpha \cdot I_e \cdot (2000 \parallel 2000)$$

de donde

$$\frac{V_o}{V_{Th}} = \frac{-\alpha \cdot I_e \cdot (2000 \parallel 2000)}{-I_e \cdot (R_{Th} + r_e)} = \frac{\alpha \cdot (2000 \parallel 2000)}{(R_{Th} + r_e)}$$

y

$$A_V = \frac{V_{Th}}{V_g} \cdot \frac{V_o}{V_{Th}} = \frac{5000}{5000 + 75} \cdot \frac{\alpha \cdot (2000 \parallel 2000)}{R_{Th} + r_e} = 9.76$$

- Para la ganancia en corriente se tiene

$$I_o = \frac{2000}{2000 + 2000} \cdot I_c$$

$$-I_e = \frac{5000}{5000 + r_e} \cdot I_i \quad \Rightarrow \quad I_i = \frac{-I_c}{\alpha} \cdot \frac{5000 + r_e}{5000}$$

y, finalmente

$$A_i = \frac{I_o}{I_i} = \frac{\dfrac{2000}{2000 + 2000} \cdot I_c}{\dfrac{5000 + r_e}{5000} \cdot \left(\dfrac{-I_c}{\alpha}\right)} = -\frac{\dfrac{\alpha \cdot 2000}{2000 + 2000}}{\dfrac{5000 + r_e}{5000}} = 0.49$$

c) La frecuencia de corte inferior será

$$f_{C\,\text{inferior}} = \max \left\{ f_{C\,(10\mu)}, f_{C\,(2,5\mu)}, f_{C\,(4\mu)} \right\}$$

Observando el circuito se obtiene

$$f_{C\,(10\mu)} = \frac{1}{2 \cdot \pi \cdot 10\mu \cdot \left(75 + Z_i\right)} = 158\,\text{Hz}$$

$$f_{C\,(2.5\mu)} = \frac{1}{2 \cdot \pi \cdot 2.5\mu \cdot \left(2000 + Z_o\right)} = 16\,\text{Hz}$$

$$f_{C\,(2.5\mu)} = \frac{1}{2 \cdot \pi \cdot 4\mu \cdot Z_B} = 4\,\text{Hz}$$

donde Z_B se calcula de la siguiente manera

$$Z_B = \left. \frac{V_b}{I_b} \right|_{V_{Th} = 0V}$$

y

$$V_{Th} - I_i \cdot R_{Th} - I_i \cdot r_e = V_b \quad e \quad I_i = -I_e$$

$$V_{Th} + I_e \cdot R_{Th} + I_e \cdot r_e = V_b$$

$$V_b = (\beta + 1) \cdot I_b \cdot R_{Th} + (\beta + 1) \cdot I_b \cdot r_e$$

de donde

$$Z_B = \frac{V_b}{I_b} = (\beta + 1) \cdot R_{Th} + (\beta + 1) \cdot r_e = 10\,k\Omega$$

Problema 15

En el amplificador de la figura, calcular, bajo la condición de pequeña señal:

a) Ganancias de tensión $A_{V1} = V_o / V_i'$ y $A_{V2} = V_o / V_i$, expresadas en dB.

b) Impedancia de entrada Z_{in}.

c) Ganancia de corriente $A_i = I_o / I_i$, expresada en dB.

d) Impedancia de salida Z_{OUT}.

Los parámetros del transistor JFET utilizado son $g_m = 2.6$ mA/V, y $r_{DS} = r_o = 100$ kΩ.

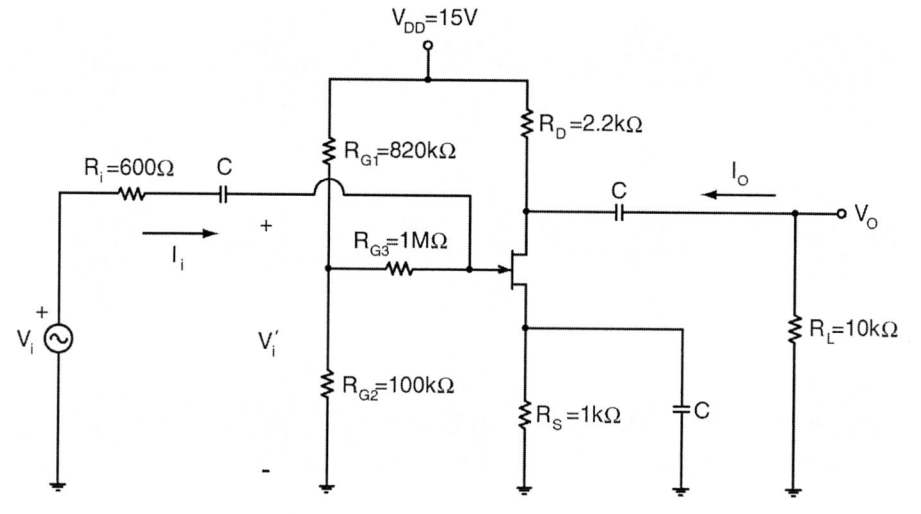

a) El circuito equivalente en alterna de pequeña señal queda de la siguiente manera

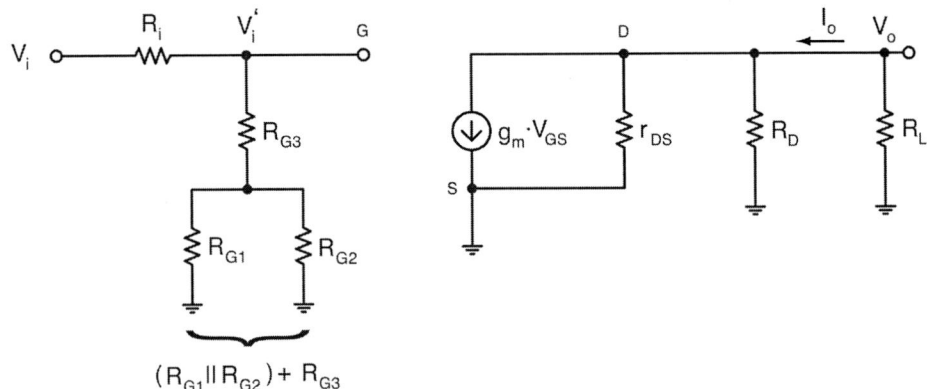

De donde se desprende que

$$V_i' = V_G$$

$$V_o = -(g_m \cdot V_{GS}) \cdot (r_{DS} \parallel R_D \parallel R_L)$$

donde

$$V_{GS} = V_G - V_S = V_G$$

y

$$A_{V1} = \frac{V_o}{V_i'} = \frac{-g_m \cdot V_G \cdot (r_{DS} \parallel R_D \parallel R_L)}{V_G} = -g_m \cdot (r_{DS} \parallel R_D \parallel R_L)$$

Por otro lado,

$$V_i' = V_G = \frac{V_i}{R_i + R_G} \cdot R_G \quad \Rightarrow \quad V_i = \frac{R_i + R_G}{R_G} \cdot V_G$$

donde

$$R_G = (R_{G1} \parallel R_{G2}) + R_{G3}$$

de donde se desprende

$$A_{V2} = \frac{V_o}{V_i} = \frac{-g_m \cdot V_G \cdot (r_{DS} \parallel R_D \parallel R_L)}{\dfrac{R_i + R_G}{R_G} \cdot V_G} = -g_m \cdot (r_{DS} \parallel R_D \parallel R_L) \cdot \frac{R_G}{R_i + R_G}$$

sustituyendo valores, y teniendo en cuenta que el signo negativo se interpreta como un desfase de 180° de la salida respecto a la entrada, se obtiene

$$A_{V1}(dB) = 20 \cdot \log|A_{V1}| = 20 \cdot \log|4.6| = 13.25 \, dB$$

y

$$A_{V2}(dB) = 20 \cdot \log|A_{V2}| = 20 \cdot \log|4.59| = 13.25 \, dB$$

b) Si se considera R_i como la resistencia interna de la fuente de tensión, entonces

$$Z_{in} = R_G = (R_{G1} \parallel R_{G2}) + R_{G3} = 1.09 \, M\Omega$$

c) A la entrada se tiene que

$$I_i = \frac{V_i}{R_i + R_G} = \frac{V_i'}{R_G} = \frac{V_G}{R_G}$$

y a la salida

$$V_o = -g_m \cdot V_{GS} \cdot (r_{DS} \parallel R_D \parallel R_L)$$

$$V_o = -I_o \cdot R_L$$

de donde

$$I_o = \frac{g_m \cdot V_{GS} \cdot (r_{DS} \| R_D \| R_L)}{R_L} = \frac{g_m \cdot V_G \cdot (r_{DS} \| R_D \| R_L)}{R_L}$$

y, finalmente

$$A_i = \frac{I_o}{I_i} = \frac{\dfrac{g_m \cdot V_G \cdot (r_{DS} \| R_D \| R_L)}{R_L}}{\dfrac{V_G}{R_G}} = g_m \cdot \frac{R_G}{R_L} \cdot (r_{DS} \| R_D \| R_L)$$

que en dB responde a la siguiente expresión

$$A_i(dB) = 20 \cdot \log|A_i| = 20 \cdot \log|501.4| = 54\,dB$$

d) La impedancia de salida sin considerar la resistencia de carga R_L es

$$Z_o = \left. \frac{V_o}{I_o} \right|_{V=0V}$$

En este caso, si $V_i = 0\,V \Rightarrow V_G = 0\,V \Rightarrow V_{GS} = 0\,V$ y, por tanto, la fuente de corriente se comporta como un circuito abierto. De este modo,

$$Z_o = R_D \| r_{DS} = 2.15\,k\Omega$$

Problema 16

En el amplificador de la figura, calcular, bajo la condición de pequeña señal:

a) Ganancia de tensión referida al generador de señal de entrada $A_V = V_O / V_i$, expresada en dB.

b) Impedancia de entrada Z_{in}.

Los parámetros del transistor JFET utilizado son $g_m = 10$ mA/V, y $r_{DS} = r_o = 500$ kΩ.

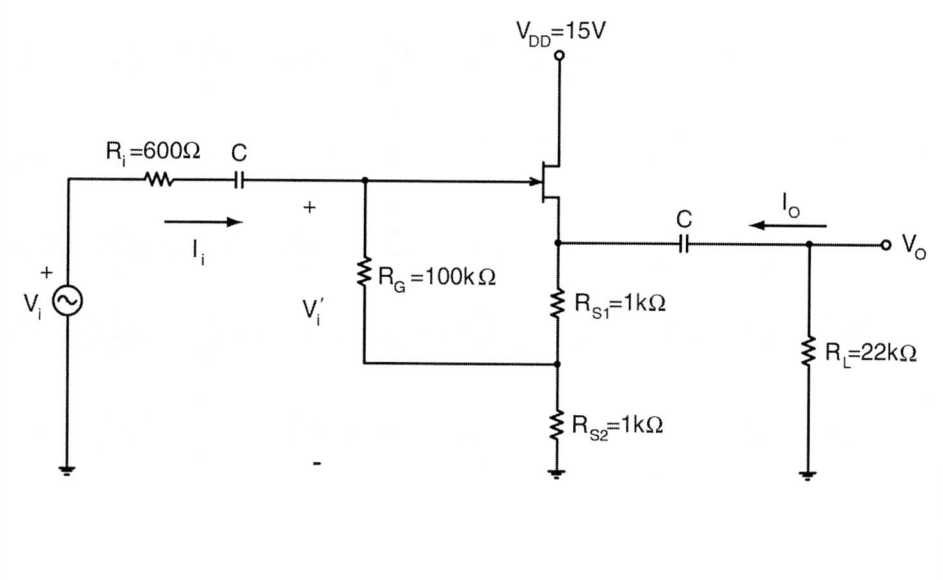

a) El circuito equivalente en alterna de pequeña señal queda de la siguiente manera

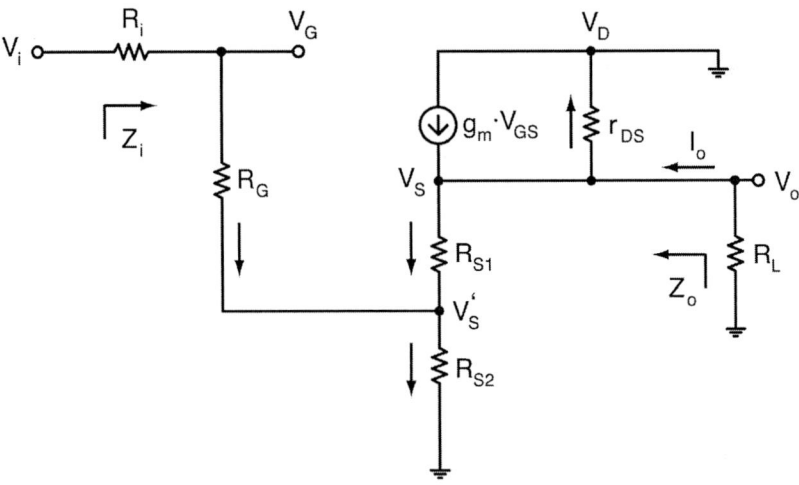

Estudiando los distintos nudos se obtienen las siguientes relaciones

- Nudo V_S

$$g_m \cdot V_{GS} + I_o = I_{r_{DS}} + I_{R_{S1}}$$

de donde

$$g_m \cdot V_{GS} - \frac{V_o}{R_L} = \frac{V_o}{r_{DS}} + \frac{V_o - V_S'}{R_{S1}}$$

y

$$g_m \cdot V_{GS} = V_o \cdot \left(\frac{1}{R_L} + \frac{1}{r_{DS}} + \frac{1}{R_{S1}} \right) - \frac{V_S'}{R_{S1}} \tag{1}$$

- Nudo V_S'

$$I_{R_{S1}} + I_{R_G} = I_{R_{S2}}$$

de donde

$$\frac{V_o - V_S'}{R_{S1}} + \frac{V_i - V_S'}{R_i + R_G} = \frac{V_S'}{R_{S2}}$$

y

$$\frac{V_o}{R_{S1}} + \frac{V_i}{R_i + R_G} = V_S' \cdot \left(\frac{1}{R_{S1}} + \frac{1}{R_i + R_G} + \frac{1}{R_{S2}} \right) \qquad (2)$$

Las ecuaciones (1) y (2) se pueden expresar como:

$$g_m \cdot V_{GS} = V_o \cdot a - V_S' \cdot b \qquad (3)$$

$$V_o \cdot b + V_i \cdot c = V_S' \cdot d \qquad (4)$$

donde

$$a = \frac{1}{R_L} + \frac{1}{r_{DS}} + \frac{1}{R_{S1}} = 1 \cdot 10^{-3} \qquad b = \frac{1}{R_{S1}} = 10^{-3}$$

$$c = \frac{1}{R_i + R_G} = 1 \cdot 10^{-5} \qquad d = \frac{1}{R_{S1}} + \frac{1}{R_i + R_G} + \frac{1}{R_{S2}} = 2 \cdot 10^{-3}$$

y

$$V_{GS} = V_G - V_S$$

$$V_G = \frac{R_G}{R_i + R_G} \cdot V_i + \frac{R_i}{R_i + R_G} \cdot V_S'$$

$$V_S = V_o$$

de donde

$$V_{GS} = e \cdot V_i - f \cdot V_S' - V_o \qquad (5)$$

siendo

$$e = \frac{R_G}{R_i + R_G} = 0.99 \qquad f = \frac{-R_i}{R_i + R_G} = -6 \cdot 10^{-3}$$

Sustituyendo (5) en (3) se obtiene

$$g_m \cdot e \cdot V_i - g_m \cdot f \cdot V_S' - g_m \cdot V_o = a \cdot V_o - b \cdot V_S'$$
$$g_m \cdot e \cdot V_i = V_o \cdot (g_m + a) + V_S' \cdot (g_m \cdot f - b) \qquad (6)$$

La ecuación (4) se puede expresar como:

$$c \cdot V_i = -V_o \cdot b + V_S' \cdot d \qquad (7)$$

Multiplicando (6) por d y (7) por $(g_m \cdot f - b)$ se obtiene

$$V_i \cdot [g_m \cdot e \cdot d] = V_o \cdot [(g_m + a) \cdot d] + V_S' \cdot [(g_m \cdot f - b) \cdot d]$$

$$V_i \cdot [c \cdot (g_m \cdot f - b)] = V_o \cdot [-b \cdot (g_m \cdot f - b)] + V_S' \cdot [(g_m \cdot f - b) \cdot d]$$

y, restando ambas ecuaciones se obtiene

$$V_i \cdot [g_m \cdot d \cdot e - c \cdot (g_m \cdot f - b)] = V_o \cdot [(g_m + a) \cdot d + b \cdot (g_m \cdot f - b)]$$

Finalmente

$$A_V = \frac{V_o}{V_i} = \frac{g_m \cdot d \cdot e - c \cdot (g_m \cdot f - b)}{(1 + a) \cdot d + b \cdot (g_m \cdot f - b)}$$

que, expresada en dB, es

$$A_V(dB) = 20 \cdot \log|A_V| = 20 \cdot \log 0.01 = -40dB$$

b) Para calcular la impedancia de entrada no se considerará R_i (resistencia de la fuente), por lo tanto, $R_i = 0\,\Omega$. Entonces:

$$V_i = V_G$$

$$I_i = \frac{V_G - V_S'}{R_G} = \frac{V_i - V_S'}{R_G} \tag{8}$$

Multiplicando la ecuación (6) por b y la ecuación (7) por $(1+a)$ se obtiene:

$$g_m \cdot e \cdot b \cdot V_i = V_o \cdot b \cdot (g_m + a) + V_S' \cdot b \cdot (g_m \cdot f - b)$$

$$c \cdot (1+a) \cdot V_i = -V_o \cdot b \cdot (g_m + a) + V_S' \cdot d \cdot (1+a)$$

Sumando ambas ecuaciones se obtiene

$$V_i \cdot \left[g_m \cdot e \cdot b + c \cdot (g_m + a) \right] = V_S' \cdot \left[b \cdot (g_m \cdot f - b) + d \cdot (g_m + a) \right]$$

de donde

$$V_S' = \frac{g_m \cdot e \cdot b + c \cdot (g_m + a)}{b \cdot (g_m \cdot f - b) + d \cdot (g_m + a)} \cdot V_i = h \cdot V_i \tag{9}$$

Nótese que los valores de los parámetros a, b,..., f cambian respecto al apartado a) debido a que ahora $R_i = 0\,\Omega$. Sustituyendo (9) en (8) se obtiene

$$I_i = \frac{V_i - h \cdot V_i}{R_G} = \frac{(1-h) \cdot V_i}{R_G}$$

Por lo tanto

$$Z_i = \frac{V_i}{I_i} = \frac{R_G}{1-h} = 0.58\,\Omega$$

Problema 17

En el circuito amplificador presentado en la figura, los parámetros característicos del transistor JFET utilizado son $g_m = 5 \cdot 10^{-3}$ A/V, y $r_{DS} \to \infty$. Determinar:

a) El valor de la ganancia de tensión a frecuencias medias.

b) Los valores de la frecuencia de corte inferior, f_{ci}.

c) El valor del condensador C_2 para que la frecuencia de corte a la que da origen coincida con la introducida por el condensador C_1.

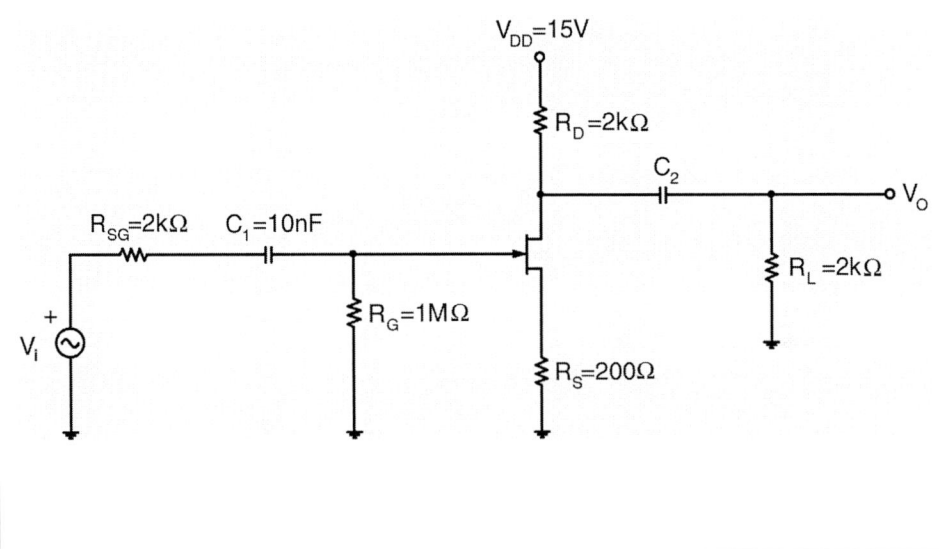

a) El circuito equivalente en alterna de pequeña señal queda de la siguiente manera

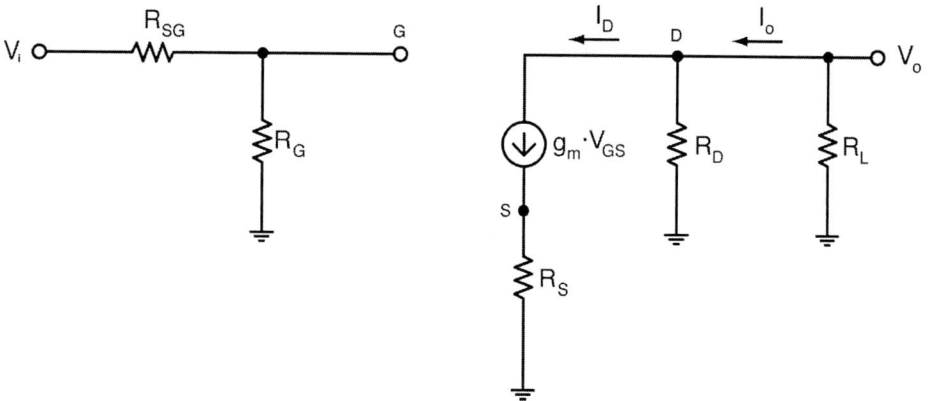

De donde se deduce que

$$V_G = \frac{R_G}{R_{SG} + R_G} \cdot V_i \tag{1}$$

y de la malla de la derecha se obtiene que

$$V_S = I_D \cdot R_S = g_m \cdot V_{GS} \cdot R_S = g_m \cdot V_G \cdot R_S - g_m \cdot V_S \cdot R_S$$

$$V_S \cdot (1 + g_m \cdot R_S) = g_m \cdot V_G \cdot R_S \quad \Rightarrow \quad V_S = \frac{g_m \cdot R_S}{1 + g_m \cdot R_S} \cdot V_G \tag{2}$$

Además,

$$V_o = -I_D \cdot (R_D \parallel R_L) = -g_m \cdot V_{GS} \cdot (R_D \parallel R_L)$$

$$V_o = -g_m \cdot V_G \cdot (R_D \parallel R_L) + g_m \cdot V_S \cdot (R_D \parallel R_L)$$

$$V_o = -g_m \cdot V_G \cdot (R_D \parallel R_L) + g_m \cdot \frac{g_m \cdot R_S}{1 + g_m \cdot R_S} \cdot V_G \cdot (R_D \parallel R_L)$$

$$V_o = V_G \cdot \left[g_m \cdot \frac{g_m \cdot R_S}{1 + g_m \cdot R_S} \cdot (R_D \| R_L) - g_m \cdot (R_D \| R_L) \right]$$

$$V_o = V_G \cdot \left[g_m \cdot (R_D \| R_L) \cdot \left(\frac{g_m \cdot R_S}{1 + g_m \cdot R_S} - 1 \right) \right]$$

$$V_o = -V_G \cdot \left[g_m \cdot (R_D \| R_L) \cdot \left(\frac{1}{1 + g_m \cdot R_S} \right) \right]$$

y, finalmente, sustituyendo (1)

$$V_o = -\frac{R_G}{R_{SG} + R_G} \cdot V_i \cdot \left[g_m \cdot (R_D \| R_L) \cdot \left(\frac{1}{1 + g_m \cdot R_S} \right) \right]$$

donde el signo negativo indica inversión de fase a la salida respecto a la entrada, por lo que

$$A_V = \frac{V_o}{V_i} = -\frac{R_G}{R_{SG} + R_G} \cdot \left[g_m \cdot (R_D \| R_L) \cdot \left(\frac{1}{1 + g_m \cdot R_S} \right) \right] = -2.50$$

b) Para calcular la impedancia de entrada Z_i no se tiene en cuenta la resistencia de la fuente R_{SG}, por lo tanto,

$$Z_i = \frac{V_i}{I_i} = R_G = 1 \, \text{M}\Omega$$

De este modo, la frecuencia de corte asociada a la entrada será

$$f_{C(C1)} = \frac{1}{2 \cdot \pi \cdot (R_{SG} + Z_i) \cdot C_1} = 16 \text{Hz}$$

c) Para calcular la impedancia de salida Z_o no se tiene en cuenta la resistencia de la carga R_L.

$$Z_o = \frac{V_o}{I_o} \bigg|_{V=0}$$

Si $V_i = 0$ V, entonces también $V_G = 0$ V, con lo cual, sustituyendo en (2) se tiene tambén $V_S = 0$V. En este caso, $V_{GS} = 0$V y por tanto la fuente de corriente se comporta como un circuito abierto. De este modo la impedancia de salida se obtiene directamente como:

$$Z_o = \frac{V_o}{I_o} = R_D = 2k\Omega$$

Para que la frecuencia de corte introducida por el condensador C_2 coincida con la introducida por C_1 deberá cumplirse

$$C_2 = \frac{1}{2 \cdot \pi \cdot (R_L + Z_o) \cdot f_{C(C1)}} = 2.5 \ \mu F$$

Problema 18

Determinar los parámetros en continua I_D, V_{GS} y V_{DS} así como la impedancia de entrada, Z_i, la impedancia de salida, Z_o, la ganancia en tensión A_V y la ganancia en corriente A_i para el amplificador en puerta común de la figura. Los parámetros del transistor JFET son $I_{DSS} = 9$ mA, $V_{GS(off)} = V_p = -7$ V, y $r_{DS} = r_o \rightarrow \infty$.

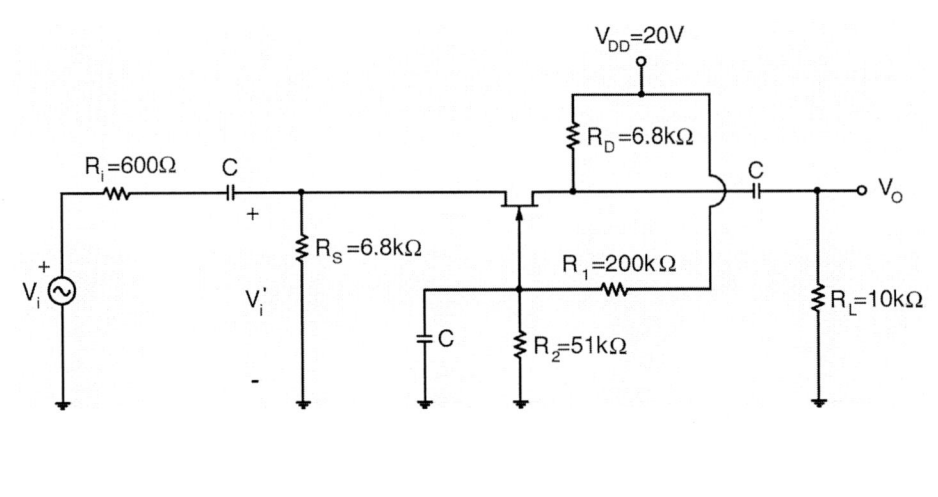

En cuanto al análisis en continua (condensadores en circuito abierto) se observa que

$$V_G = \frac{V_{DD}}{R_1 + R_2} \cdot R_2 = 4.06 \text{ V} \tag{1}$$

$$V_S = I_D \cdot R_S \tag{2}$$

Por otro lado,

$$I_D = I_{DSS} \cdot \left(1 - \frac{V_{GS}}{V_p}\right)^2 = I_{DSS} \cdot \left(1 - \frac{V_G - I_D \cdot R_S}{V_p}\right)^2$$

$$I_D = \frac{I_{DSS}}{V_p^2} \cdot \left(V_{pG} + I_D \cdot R_S\right)^2 = \frac{I_{DSS}}{V_p^2} \cdot \left(V_{pG}^2 + 2 \cdot V_{pG} \cdot I_D \cdot R_S + I_D^2 \cdot R_S^2\right)$$

Haciendo $V_{PG} = V_p - V_G$ y desarrollando el cuadrado se obtiene

$$I_D \cdot V_p^2 = I_{DSS} \cdot V_{pG}^2 + I_{DSS} \cdot 2 \cdot V_{pG} \cdot I_D \cdot R_S + I_{DSS} \cdot I_D^2 \cdot R_S^2$$

$$I_D^2 \cdot I_{DSS} \cdot R_S^2 + I_D \cdot \left[I_{DSS} \cdot 2 \cdot V_{pG} \cdot R_S - V_p^2\right] + I_{DSS} \cdot V_{pG}^2 = 0$$

Ahora, sustituyendo valores se obtiene

$$I_D = \frac{-b \pm \sqrt{b^2 - 4 \cdot a \cdot c}}{2 \cdot a} = \frac{1402.74 \pm \sqrt{1402.74^2 - 4 \cdot 416160 \cdot 1.10}}{2 \cdot 416160}$$

$$I_D = \frac{1402.74 \pm 369.56}{2 \cdot 416160} = \begin{cases} 2.13 \cdot 10^{-3} \text{ A} \\ 1.24 \cdot 10^{-3} \text{ A} \end{cases} \qquad (3)$$

Para calcular V_{GS} acudimos a (1) y (2). Sustituyendo los valores de (3) para I_D se obtiene

$$V_{GS} = 4.06 - I_D \cdot R_S = \begin{cases} -10.42 \text{ V (No válida, pues } V_p = -7 \text{ V)} \\ -4.37 \text{ V} \end{cases}$$

Por lo tanto:

$$I_D = 1.24 \cdot 10^{-3} \text{ A}$$

$$V_{GS} = -4.37 \text{ V}$$

Finalmente, para el cálculo de V_{DS} se estudia la malla de salida

$$V_{DD} - I_D \cdot R_D - V_{DS} - I_D \cdot R_S = 0$$

de donde

$$V_{DS} = V_{DD} - I_D \cdot (R_D + R_S) = 3.14\text{ V}$$

En cuanto al análisis en alterna, el circuito equivalente de pequeña señal en alterna es el siguiente

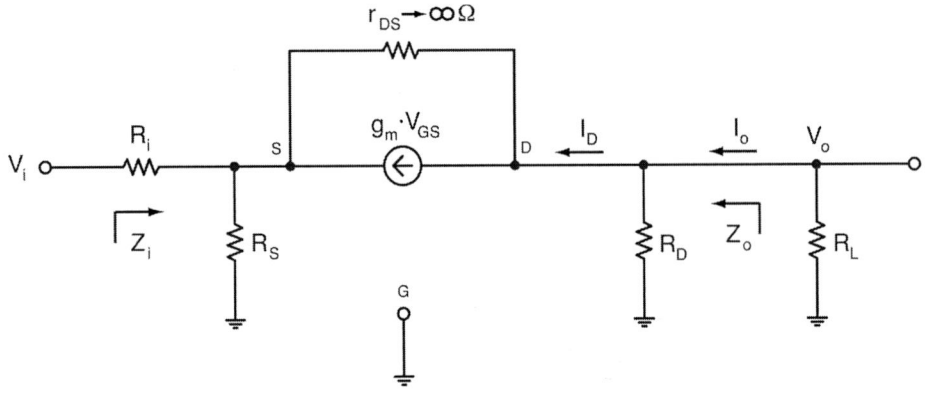

Con los datos ofrecidos, y observando el análisis de continua, se puede calcular g_m de la manera siguiente

$$g_m = \frac{2 \cdot I_{DSS}}{|V_p|} \cdot \left[1 - \frac{V_{GS}}{V_p}\right] = 9.65 \cdot 10^{-4}\text{ A/V}$$

Aplicándose la ley de corrientes en el nudo S se obtiene

$$I_{Ri} + g_m \cdot V_{GS} = I_{RS}$$

$$\frac{V_i - V_S}{R_i} + g_m \cdot (V_G - V_S) = \frac{V_S}{R_S}$$

$$\frac{V_i - V_S}{R_i} - g_m \cdot V_S = \frac{V_S}{R_S} \quad \Rightarrow \quad V_i = V_S \cdot \left[\frac{1}{R_i} + \frac{1}{R_S} + g_m\right] \cdot R_i$$

Por otro lado, del nudo D se desprende que

$$I_D = g_m \cdot V_{GS}$$

$$-\frac{V_o}{R_D \parallel R_L} = g_m \cdot (V_G - V_S) \quad \Rightarrow \quad V_o = g_m \cdot V_S \cdot (R_D \parallel R_L)$$

Y, finalmente, la ganancia en tensión será

$$A_V = \frac{V_o}{V_i} = \frac{g_m \cdot V_S \cdot (R_D \parallel R_L)}{V_S \cdot \left[\dfrac{1}{R_i} + \dfrac{1}{R_S} + g_m\right] \cdot R_i} = \frac{g_m \cdot (R_D \parallel R_L)}{\left[\dfrac{1}{R_i} + \dfrac{1}{R_S} + g_m\right] \cdot R_i} = 2.4$$

Para calcular la impedancia de entrada Z_i no se considera R_i, pues se trata de la resistencia de la fuente. Por lo tanto, aplicando la ley de corrientes en el nudo S se obtiene

$$I_i + g_m \cdot V_{GS} = I_{RS}$$

$$I_i - g_m \cdot V_S = \frac{V_S}{R_S}$$

Como R_i no se considera, $V_S = V_i$, por ello

$$I_i - g_m \cdot V_i = \frac{V_i}{R_S}$$

de donde

$$I_i = V_i \cdot \left(\frac{1}{R_S} + g_m\right)$$

y, finalmente

$$Z_i = \frac{V_i}{I_i} = \frac{1}{\dfrac{1}{R_S} + g_m} = 899\ \Omega$$

Para calcular la impedancia de salida Z_o no se tiene en cuenta la resistencia de la carga R_L.

$$Z_o = \left.\frac{V_o}{I_o}\right|_{Vi=0\,V}$$

Quedando el circuito equivalente tal como se muestra en la figura.

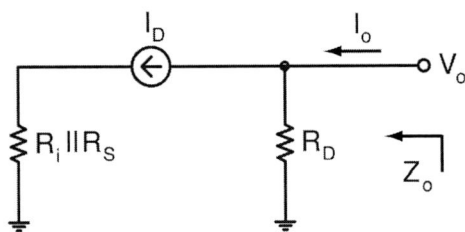

Por lo tanto, aplicando la ley de corrientes en el nudo D se obtiene

$$I_o = I_{RD} + I_D$$

$$I_o = \frac{V_o}{R_D} + \frac{V_o}{R_i \| R_S} = V_o \cdot \left(\frac{1}{R_D} + \frac{1}{R_i \| R_S}\right)$$

y, finalmente

$$Z_o = \frac{V_o}{I_o} = \frac{1}{\left(\dfrac{1}{R_D} + \dfrac{1}{R_i \| R_S}\right)} = 514\ \Omega$$

Para calcular la ganancia en corriente se analiza la distribución de corrientes en el nudo S

$$I_i + I_D = I_{RS}$$

$$I_i + g_m \cdot V_{GS} = \frac{V_S}{R_S} \quad \Rightarrow \quad I_i - g_m \cdot V_S = \frac{V_S}{R_S}$$

$$I_i = V_S \cdot \left(\frac{1}{R_S} + g_m \right)$$

de la misma manera, ananlizando el nudo D se obtiene

$$I_o - I_{RD} = I_D$$

$$I_o - \frac{V_o}{R_D} = g_m \cdot V_{GS} \quad \Rightarrow \quad I_o - \frac{V_o}{R_D} = -g_m \cdot V_S \qquad (4)$$

Por otro lado,

$$V_o = -I_D \cdot (R_D \| R_L) = -g_m \cdot V_{GS} \cdot (R_D \| R_L) = g_m \cdot V_S \cdot (R_D \| R_L)$$

y, sustituyendo en (4)

$$I_o = g_m \cdot \frac{V_S \cdot (R_D \| R_L)}{R_D} - g_m \cdot V_S$$

$$I_o = V_S \cdot \left[g_m \cdot \frac{(R_D \| R_L)}{R_D} - g_m \right]$$

Finalmente

$$A_i = \frac{I_o}{I_i} = \frac{V_S \cdot \left[g_m \cdot \dfrac{(R_D \parallel R_L)}{R_D} - g_m \right]}{V_S \cdot \left[\dfrac{1}{R_S} + g_m \right]} = \frac{g_m \cdot \dfrac{(R_D \parallel R_L)}{R_D} - g_m}{\dfrac{1}{R_S} + g_m} = -0.35$$

Problema 19

Para el circuito de la figura, determinar los parámetros en continua:

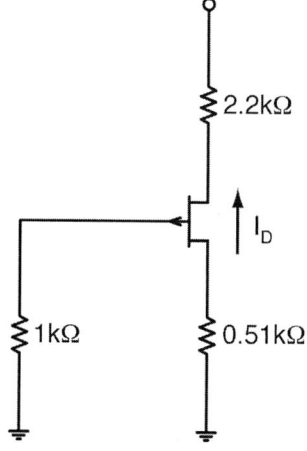

a) I_D, V_{GS}.

b) V_{DS}.

c) V_D.

Los parámetros del transistor JFET son $I_{DSS} = 8$ mA y $V_p = 4$ V.

a) Analizando el circuito se deduce que

$$V_G = 0 \text{ V}$$

$$V_{GS} = V_G - V_S = V_G - \left(-I_D \cdot 510\right) = I_D \cdot 510 \qquad (1)$$

Por otro lado,

$$I_D = I_{DSS} \cdot \left(1 - \frac{V_{GS}}{V_p}\right)^2 = I_{DSS} \cdot \left(1 - \frac{I_D \cdot 510}{V_p}\right)^2$$

y despejando

$$I_D \cdot V_p^2 = I_{DSS} \cdot V_p^2 - I_{DSS} \cdot 2 \cdot V_p \cdot I_D \cdot 510 + I_{DSS} \cdot I_D^2 \cdot 510^2$$

$$I_D^2 \cdot I_{DSS} \cdot 510^2 - I_D \cdot \left[I_{DSS} \cdot 2 \cdot V_p \cdot 510 + V_p^2 \right] + I_{DSS} \cdot V_p^2 = 0$$

$$I_D^2 \cdot 2081 - I_D \cdot 48.64 + 0.128 = 0$$

Ahora, sustituyendo valores se obtiene

$$I_D = \frac{48.64 \pm \sqrt{48.64^2 - 4 \cdot 2081 \cdot 0.128}}{2 \cdot 2081} = \begin{cases} I_{D1} = 0.020 \text{ A} \\ I_{D2} = 0.003 \text{ A} \end{cases} \qquad (2)$$

Para calcular V_{GS} acudimos a (1) y, sustituyendo los valores para I_D (2), se obtiene

$$V_{GS} = \begin{cases} V_{GS1} = 10.38 \text{ V (No válida, pues es } > V_p) \\ V_{GS2} = 1.54 \text{ V} \end{cases}$$

Por tanto, la solución es

$$\begin{cases} I_D = 0.003 \text{ A} \\ V_{GS} = 1.54 \text{ V} \end{cases}$$

b) Por otro lado, de la malla de salida se deduce que

$$0 - I_D \cdot 0.51k + V_{DS} - I_D \cdot 2.2k - (-18 \text{ V}) = 0$$

y

$$V_{DS} = -18 + I_D \cdot (0.51k + 2.2k) = -9.87 \text{ V}$$

c) Finalmente, se obtiene V_D de la siguiente manera

$$V_D = -18 + I_D \cdot 2.2\,k = -11.4\text{ V}$$

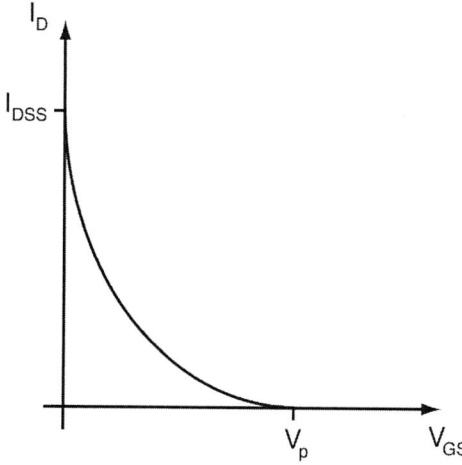

Problema 20

Para el circuito de la figura, determinar los parámetros en continua:

a) I_D, V_{GS}.

b) V_{DS}.

c) V_D.

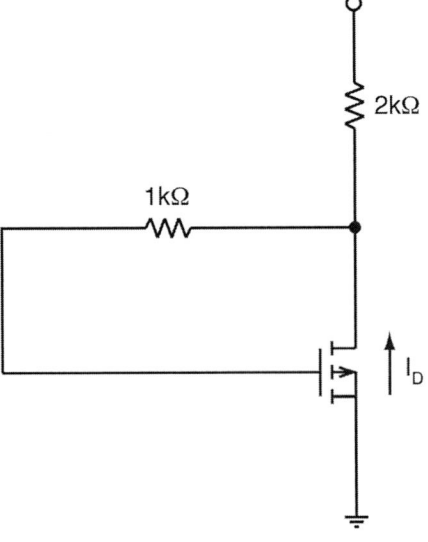

Los parámetros del transistor FET son

$$V_{GS(Th)} = -3 \text{ V}, \quad I_{D(encendido)} = 4 \text{ mA} \quad y \quad V_{GS(encendido)} = -7 \text{ V}.$$

a) Se sabe que

$$I_D = K \cdot \left(V_{GS} - V_{GS(Th)} \right)^2 \tag{1}$$

Entonces, tomando como valores de I_D y V_{GS}, los propios de $I_{D(encendido)}$ y $V_{GS\,(encendido)}$, se tiene que

$$K = \frac{I_{D(encendido)}}{\left(V_{GS(encendido)} - V_{GS(Th)} \right)^2} = 0.25 \cdot 10^{-3} \text{ A/V}^2$$

Por otro lado, de la malla de entrada se sabe que

$$V_G = V_D$$

$$V_D = V_{CC} + I_D \cdot 2k$$

$$V_{GS} = V_G - V_S = V_{CC} + I_D \cdot 2k - 0 = V_{CC} + I_D \cdot 2k \qquad (2)$$

Y sustituyendo en (1) se tiene

$$I_D = K \cdot \left(V_{CC} + I_D \cdot 2k - V_{GS(Th)}\right)^2 = K \cdot \left(I_D \cdot 2k - 15\right)^2$$

Por lo tanto

$$I_D = K \cdot [I_D^2 \cdot 2k^2 - 2 \cdot I_D \cdot (2k) \cdot 15 + 15^2]$$

de donde, sustituyendo todos los valores, se obtiene

$$I_D^2 \cdot 1000 - I_D \cdot 16 + 0.0563 = 0$$

$$I_D = \frac{16 \pm \sqrt{16^2 - 4 \cdot 1000 \cdot 0.0563}}{2 \cdot 1000} = \begin{cases} I_{D1} = 0.011\text{A} \\ I_{D2} = 0.005\text{A} \end{cases} \qquad (3)$$

Para calcular V_{GS} acudimos a (2) y, sustituyendo los valores para I_D (3), se obtiene

$$V_{GS} = V_{CC} + I_D \cdot 2k = \begin{cases} V_{GS1} = 3.6 \text{ V (No válida, pues es } > V_{GS(Th)}) \\ V_{GS2} = -7.6 \text{ V} \end{cases}$$

Por tanto, la solución es

$$\begin{cases} I_D = 0.005 \text{ A} \\ V_{GS} = -7.6 \text{ V} \end{cases}$$

b) Por otro lado, de la malla de salida se deduce que

$$0 + V_{DS} - I_D \cdot 2k - (-18) = 0$$

y

$$V_{DS} = -18 + I_D \cdot 2k = -7.6 \text{ V}$$

c) Finalmente, se obtiene V_D de la siguiente manera

$$V_D = -18 + I_D \cdot 2k = -7.6 \text{ V}$$

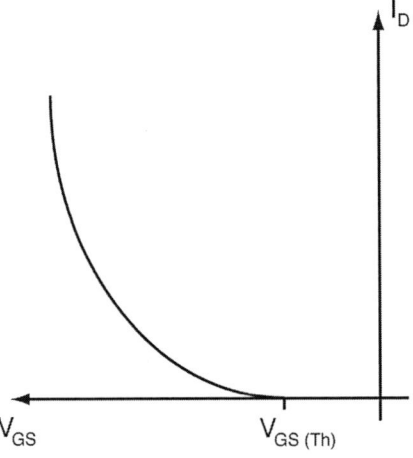

Problema 21

Calcular R_1, R_2, R_C y R_E de modo que pueda circular por la carga R_L =100 Ω una corriente de amplitud 20 mA. Determinar el valor de los condensadores de acoplo para que la frecuencia inferior de corte sea de aproximadamente 20 Hz.

Datos:

$$\beta = 100, \; V_{BE} = 0.7 \; V, \; r_e = 20 \; \Omega, \; V_{CC} = 10 \; V, \; V_{CEQ} = V_{CC}/2$$

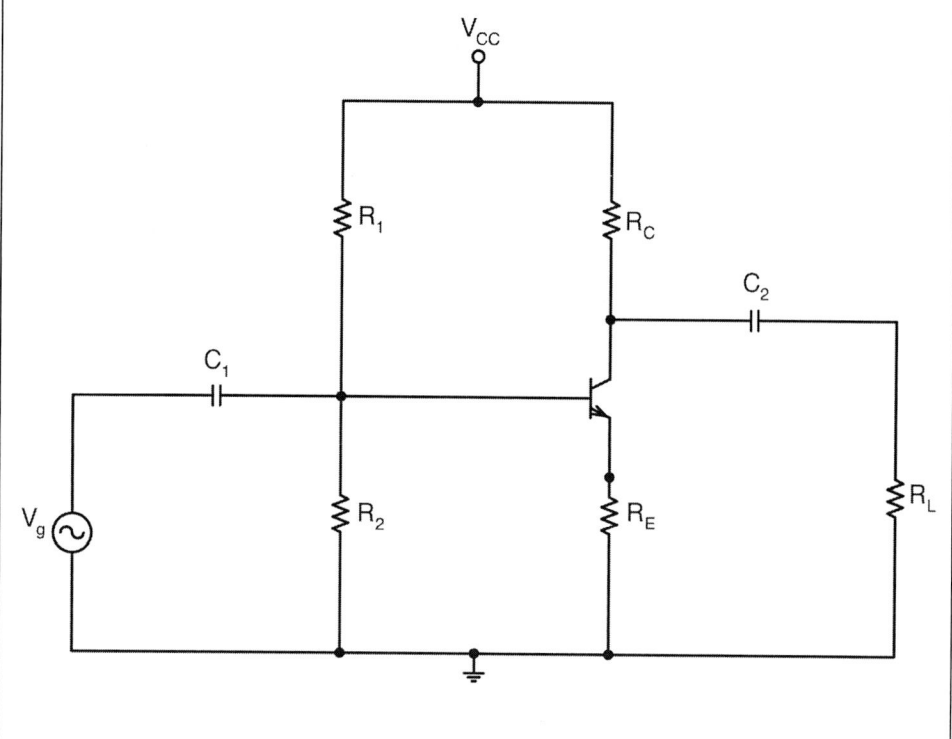

El modelo del amplificador en alterna se muestra a continuación

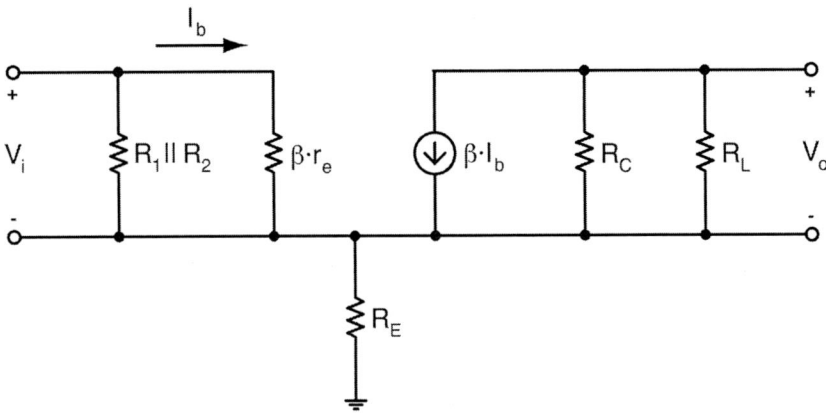

La corriente proporcionada por la fuente de corriente se repartirá entre las resistencias R_C y R_L. Por lo tanto, podemos diseñar R_C de manera que la corriente se reparta de forma equitativa por ambas zonas. De esta forma se tiene que $R_C = 100\ \Omega$. Con ello se deduce que

$$I_{R_C} = I_{R_L} = 20\,\text{mA}$$

y

$$I_{CQ} = I_{R_C} + I_{R_L} = 40\,\text{mA}$$

Por otro lado, la ecuación de la recta de carga estática es

$$V_{CEQ} = V_{CC} - I_{CQ} \cdot (R_C + R_E)$$

y, a partir de ella, se puede obtener el valor de la resistencia R_E

$$R_E = \frac{V_{CC} - V_{CEQ}}{I_{CQ}} - R_C = \frac{5}{40 \cdot 10^{-3}} - 100 = 25\,\Omega$$

La tensión en el emisor es, por tanto,

$$V_E = I_E \cdot R_E = I_{CQ} \cdot R_E = 40 \cdot 10^{-3} \cdot 25 = 1\,\text{V}$$

y la tensión de base

$$V_B = V_E + V_{BE} = 1.7\,\text{V}$$

Ahora, adoptando como corriente para el divisor I_D un valor igual a $I_{CQ}/10 = 4$ mA, se pueden obtener R_1 y R_2 de la siguiente manera

$$R_1 = \frac{V_{CC} - V_B}{I_D} = 2075\,\Omega$$

y

$$R_2 = \frac{V_B}{I_D} = 425\,\Omega$$

Para calcular el valor de la capacidad de los condensadores de entrada y salida impondremos que sea C_B el que determine la frecuencia de corte f_1, mientras que C_E lo diseñaremos para una frecuencia de corte $f_2 = f_1/10$.

Como la impedancia de entrada sin considerar la resistencia de la fuente es

$$Z_i = R_1 \parallel R_2 \parallel [\beta re + (\beta+1) \cdot R_E] = 327\,\Omega$$

la capacidad del condensador de entrada será

$$C_B = \frac{1}{2 \cdot \pi \cdot f_1 \cdot Z_i} = 24.34\,\mu\text{F}$$

Y, por otro lado, la impedancia de salida sin considerar la resistencia de carga R_L es

$$Z_o = R_C = 100\,\Omega$$

por lo que la capacidad del condensador de salida será

$$C_E = \frac{1}{2 \cdot \pi \cdot f_2 \cdot (Z_o + R_L)} = 398\,\mu F$$

OTRAS CONFIGURACIONES DE CIRCUITOS AMPLIFICADORES

Problema 1

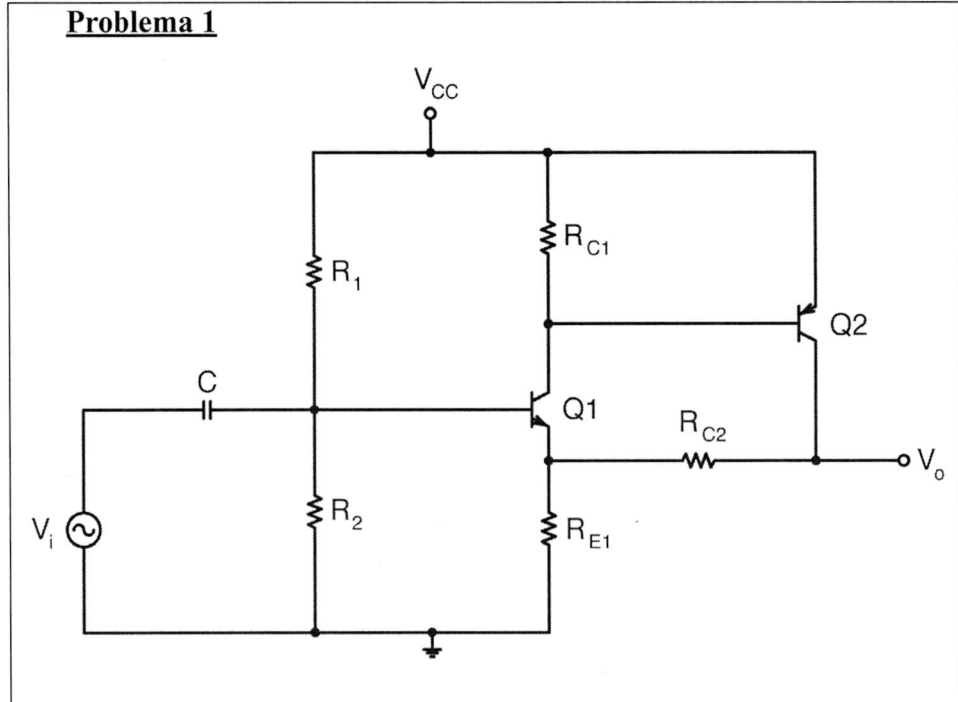

Hallar las condiciones de reposo del siguiente circuito:

Datos: $\beta = 100$, $V_{BE} = 0.7$ V, $V_{CC} = 9$ V, $R_1 = 20$ kΩ, $R_2 = 20$ kΩ,
$R_{C1} = 1$ kΩ, $R_{E1} = 1$ kΩ, $R_{C2} = 1$ kΩ

La tensión en la base de Q1, suponiendo $I_B < I_{R_1}, I_{R_2}$ se puede obtener como:

$$V_{B1} = \frac{V_{CC}}{R_1 + R_2} \cdot R_2 = 4.5 \text{ V}$$

con lo cual

$$V_{E1} = V_{B1} - V_{BE} = 3.8 \text{ V}$$

y

$$I_{R_{E1}} = \frac{V_{E1}}{R_{E1}} = 3.8 \text{ mA}$$

Por otro lado la tensión en el colector de Q1 se determina como

$$V_{C1} = V_{B2} = V_{CC} - V_{BE} = 8.3 \text{ V}$$

por lo que la corriente de colector de Q1 es

$$I_{C1} = I_{E1} = \frac{V_{CC} - V_{C1}}{R_{C1}} = \frac{9 - 8.3}{1k} = 0.7 \text{ mA}$$

La corriente de colector de Q2 es la que pasa por R_{C2} y viene dada por

$$I_{C2} = I_{R_{C2}} = I_{R_{E1}} - I_{E1} = 3.1 \text{mA}$$

Por lo que la tensión de colector de Q2 será

$$V_{C2} = V_{E1} + I_{C2} \cdot R_{C2} = 6.9 \text{ V}$$

y, por tanto

$$V_{CE2} = -2.1 \text{ V}$$

Resumiendo, los puntos Q de funcionamiento para ambos transistores serán

$$Q1 \begin{cases} I_{C1} = 0.7 & \text{mA} \\ V_{CE1} = 4.5 & \text{V} \end{cases}$$

$$Q2 \begin{cases} I_{C2} = 3.1 & \text{mA} \\ V_{CE2} = -2.1 & \text{V} \end{cases}$$

Problema 2

Hallar las condiciones de reposo del siguiente circuito:

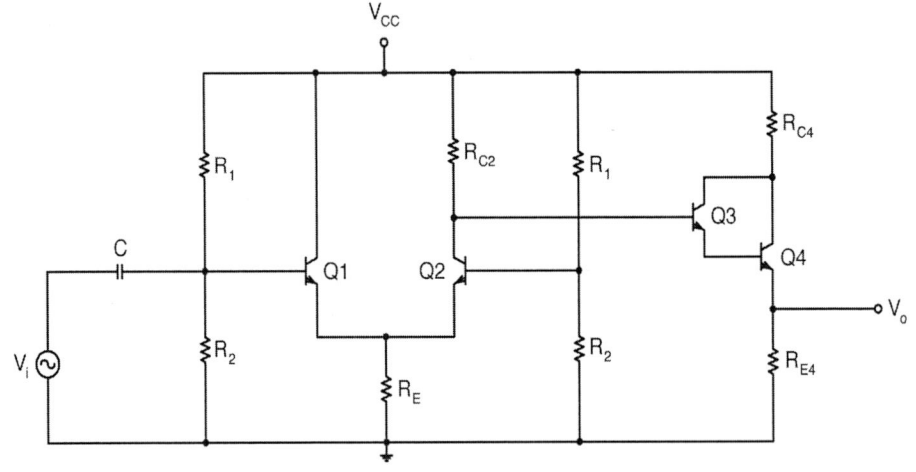

Datos: $\beta = 100$, $V_{BE} = 0$ V, $V_{CC} = 9$ V, $R_1 = 3$ kΩ, $R_2 = 1$ kΩ,

$R_E = 500$ Ω, $R_{C2} = 2.6$ kΩ, $R_{C4} = 60$ Ω, $R_{E4} = 60$ Ω

La tensión en las bases de Q1 y de Q2, suponiendo $I_B < I_{R_1}, I_{R_2}$ se puede obtener como:

$$V_{B1} = V_{B2} = \frac{V_{CC}}{R_1 + R_2} \cdot R_2 = 2.25 \text{ V}$$

por lo que la corriente por R_E es

$$I_{R_E} = \frac{V_E}{R_E} = \frac{V_{B1}}{R_E} = \frac{V_{B2}}{R_E} = 4.5 \text{ mA}$$

y, por tanto,

$$I_{C1} = I_{C2} = \frac{I_{RE}}{2} = 2.25 \, \text{mA}$$

y en consecuencia, suponiendo $I_B < I_{R_1}, I_{R_2}$ se tiene:

$$V_{C2} = V_{CC} - I_{C2} \cdot R_{C2} = 9 - 5.85 = 3.15 \, \text{V}$$

Por otro lado, la corriente por Q4 es

$$I_{C4} = \frac{V_{E4}}{R_{E4}} = \frac{V_{C2}}{R_{E4}} = \frac{3.15}{60} = 52.5 \, \text{mA}$$

y la tensión de colector será

$$V_{C4} = V_{CC} - I_{C4} \cdot R_{C4} = 9 - 3.15 = 5.85 \, \text{V}$$

Con lo cual, el punto Q de los transistores será

$$Q1 \begin{cases} I_{C1} = 2.25 & \text{mA} \\ V_{CE1} = 6.75 & \text{V} \end{cases}$$

$$Q2 \begin{cases} I_{C2} = 2.25 & \text{mA} \\ V_{CE2} = 0.9 & \text{V} \end{cases}$$

$$Q4 \begin{cases} I_{C4} = 52.5 & \text{mA} \\ V_{CE4} = 2.7 & \text{V} \end{cases}$$

Problema 3

Calcular el punto de funcionamiento de los transistores y la ganancia del siguiente circuito.

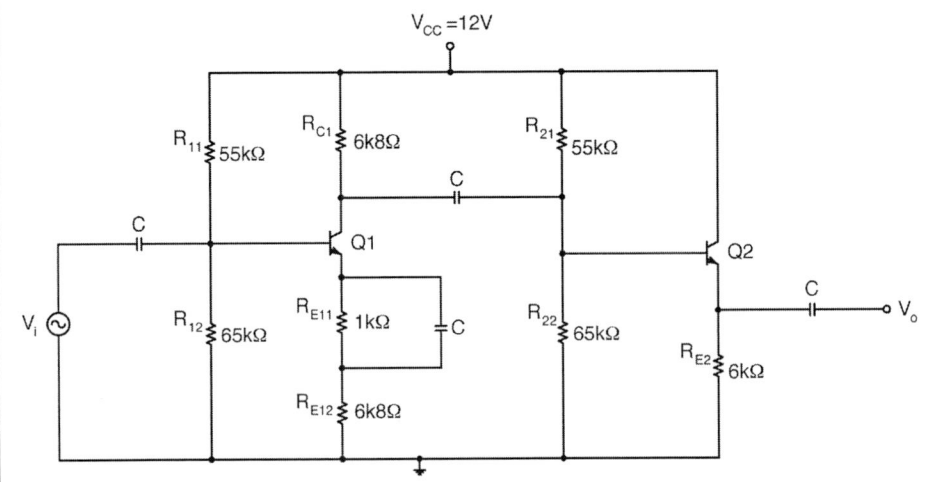

Datos: $h_{fe1} = 100$, $h_{fe2} = 100$, $V_{BE1} = 0.5$ V, $V_{BE2} = 0.5$ V, $h_{ie1} = 3.4$ kΩ, $h_{ie2} = 2.6$ kΩ, $C \to \infty$.

1) Análisis de polarización de la primera etapa: se calcula el equivalente Thévenin para la primera etapa según se muestra en la siguiente figura

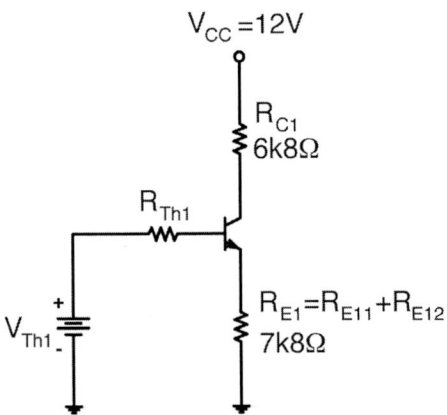

con lo que se obtiene $R_{Th1} = 29.8 \text{ k}\Omega$ y $V_{Th1} = 6.5 \text{ V}$.

De la observación del circuito anterior se tiene que

$$V_{Th1} - I_{B1} \cdot R_{Th1} - V_{BE1} - I_{E1} \cdot R_{E1} = 0$$

o, lo que es lo mismo

$$V_{Th1} - I_{B1} \cdot R_{Th1} - V_{BE1} - I_{B1} \cdot (\beta+1) \cdot R_{E1} = 0$$

de donde, sustituyendo valores se obtiene

$$I_{B1} = 7.34 \quad \mu A$$

$$I_{C1} = \beta \cdot I_{B1} = 0.73 \quad mA$$

$$I_{E1} = (\beta+1) \cdot I_{B1} = 0.74 \quad mA$$

y por otro lado, se sabe que

$$V_{CC} - I_{C1} \cdot R_{C1} - V_{CE1} - I_{E1} \cdot R_{E1} = 0$$

de donde

$$V_{CE1} = 1.26 \text{ V}$$

2) Análisis de polarización de la segunda etapa: se calcula el equivalente Thévenin para la segunda etapa que resulta proporcionar los mismos valores, es decir, $R_{Th2} = 29.8 \text{ k}\Omega$ y $V_{Th2} = 6.5 \text{ V}$. Planteando la siguiente ecuación

$$V_{Th2} - I_{B2} \cdot R_{Th2} - V_{BE2} - I_{B2} \cdot (\beta+1) \cdot R_{E2} = 0$$

se obtiene

$$I_{B2} = 9.44 \quad \mu A$$

$$I_{C2} = \beta \cdot I_{B2} = 0.94 \text{ mA}$$

$$I_{E2} = (\beta + 1) \cdot I_{B2} = 0.95 \text{ mA}$$

y por otro lado, sabemos que

$$V_{CC} = V_{CE2} + I_{E2} \cdot R_{E2}$$

de donde

$$V_{CE2} = 6.28 \text{ V}$$

3) Análisis en alterna: sustituyendo ambos transistores por sus circuitos equivalentes obtenemos el siguiente esquema

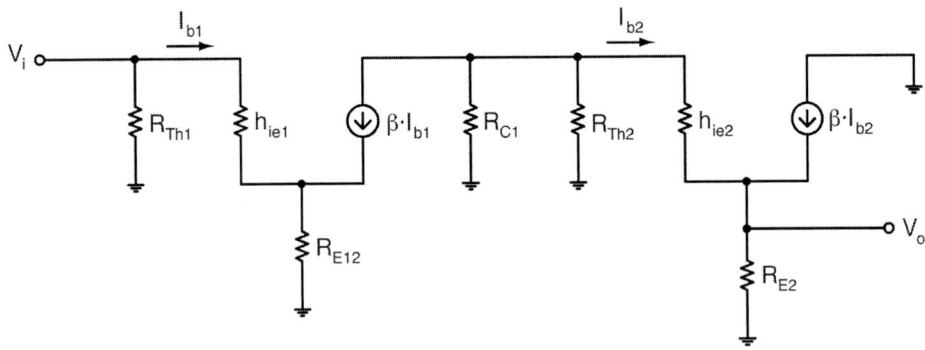

De donde se deducen las siguientes expresiones:

- Malla de salida:

$$V_o = R_{E2} \cdot (1 + \beta) \cdot I_{b2} = 606 \cdot I_{b2} \text{ mA}$$

- Malla de entrada:

$$V_i = I_{b1} \cdot \left[h_{ie1} + R_{E12} \cdot (\beta + 1) \right] = 690.2 \cdot I_{b1} \text{ mA}$$

Relacionamos ahora I_{b1} con I_{b2} mediante la etapa intermedia:

$$\beta \cdot I_{b1} \cdot \left[R_{C1} \parallel R_{Th2} \parallel \left(h_{ie2} + R_{E2} \cdot \left(1 + h_{fe2}\right)\right)\right] =$$

$$= -I_{b2} \cdot \left[h_{ie2} + R_{E2} \cdot \left(1 + h_{fe2}\right)\right]$$

de donde

$$I_{b1} = -1.11 \cdot I_{b2}$$

y, finalmente

$$A_V = \frac{V_o}{I_{b2}} \cdot \frac{I_{b2}}{I_{b1}} \cdot \frac{I_{b1}}{V_i} = \frac{V_o}{V_i} = -0.79$$

Problema 4

Se dispone de un circuito amplificador de dos etapas con acoplo directo, como se muestra en la figura, constituyendo un amplificador CASCODO. Suponiendo que $V_{BE} = 0.6$ V, $\beta = 100$, $I_{DSS} = 10$ mA, $V_p = -4$ V, $r_{DS} = 500$ kΩ, $r_e = 20$ Ω y $g_m = 0.005$ A/V:

a) Identificar cada una de las etapas formadas por Q1 y Q2.

b) Calcular los puntos de trabajo de los transistores Q1 y Q2.

c) Calcular la ganancia de tensión $A_V = V_o / V_S$, expresada en dB.

d) Calcular la impedancia de entrada vista desde el generador de señal Z_i.

e) Calcular la impedancia de salida Z_o.

f) Calcular la ganancia de corriente $A_i = I_o / I_i$, expresada en dB.

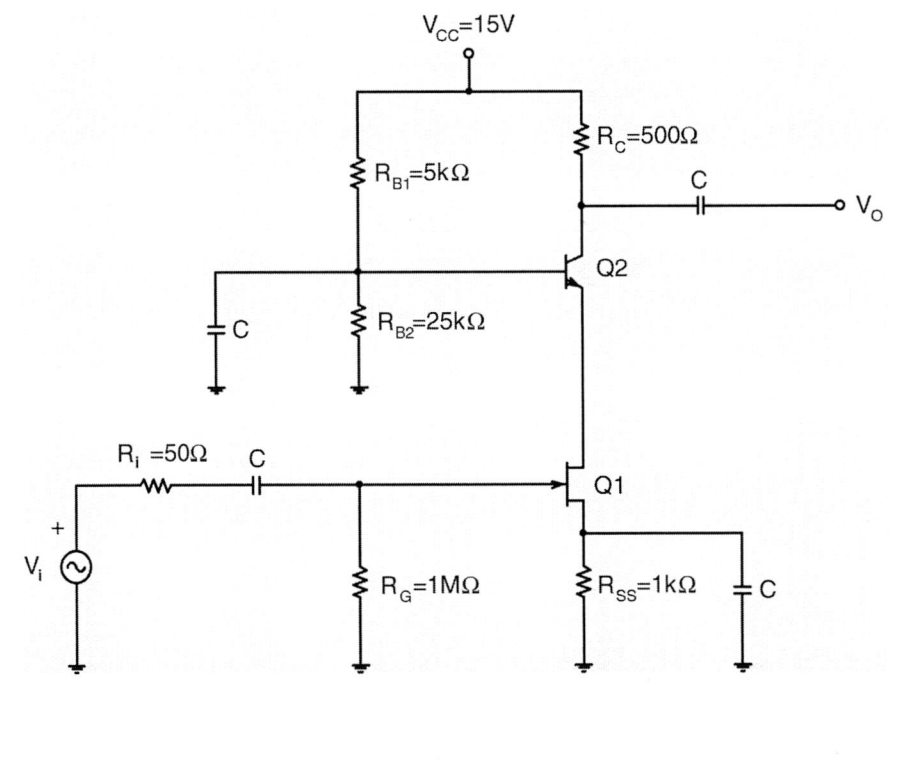

a) Q1 se encuentra en configuración de fuente común y Q2 en configuración de base común.

b) Veamos cada etapa

- Primera etapa:

$$V_G = 0 \text{ V}$$

$$V_{GS} = V_G - V_S = 0 - I_S \cdot R_{SS} = -I_S \cdot R_{SS}$$

Además

$$I_S = I_D \quad \Rightarrow \quad V_{GS} = -I_D \cdot R_{SS} \tag{1}$$

Calculamos I_D de la manera siguiente:

$$I_D = I_{DSS} \cdot \left(1 - \frac{V_{GS}}{V_p}\right)^2 = I_{DSS} \cdot \left(1 + \frac{I_D \cdot R_{SS}}{V_p}\right)^2$$

$$I_D = \frac{I_{DSS}}{V_p^2} \cdot \left(V_p + I_D \cdot R_{SS}\right)^2 = \frac{I_{DSS}}{V_p^2} \cdot \left(V_p^2 + 2 \cdot V_p \cdot I_D \cdot R_{SS} + I_D^2 \cdot R_{SS}^2\right)$$

y desarrollando el cuadrado se obtiene

$$I_D \cdot V_p^2 = I_{DSS} \cdot V_p^2 + I_{DSS} \cdot 2 \cdot V_p \cdot I_D \cdot R_{SS} + I_{DSS} \cdot I_D^2 \cdot R_{SS}^2$$

$$I_D^2 \cdot I_{DSS} \cdot R_{SS}^2 + I_D \cdot \left[I_{DSS} \cdot 2 \cdot V_p \cdot R_{SS} - V_p^2\right] + I_{DSS} \cdot V_p^2 = 0$$

Ahora, sustituyendo valores se obtiene

$$I_D^2 \cdot 10000 - I_D \cdot 96 + 0.16 = 0$$

$$I_D = \frac{96 \pm \sqrt{96^2 - 4 \cdot 10000 \cdot 0.16}}{2 \cdot 10000} = \begin{cases} 7.45 \cdot 10^{-3} \text{ A} \\ 2.15 \cdot 10^{-3} \text{ A} \end{cases} \tag{2}$$

Para calcular V_{GS} acudimos a (1). Sustituyendo los valores de (2) para I_D se obtiene

$$V_{GS} = -I_D \cdot R_{SS} = \begin{cases} -7.45 \text{ V (No válida, pues } V_p = -4 \text{ V)} \\ -2.15 \text{ V} \end{cases}$$

- Segunda etapa:

$$I_E = I_D$$

y, suponiendo que para $\beta > 1$ se cumple la siguiente aproximación

$$I_E \approx I_C \quad \Rightarrow \quad I_B = \frac{I_C}{100} = 2.15 \cdot 10^{-5} \text{ A}$$

Por otro lado, suponiendo $I_B < I_{R_{B1}}, I_{R_{B2}}$ se tiene

$$V_B = \frac{R_{B2}}{R_{B1} + R_{B2}} \cdot V_{CC} = 12.5 \text{ V}$$

y, por tanto

$$V_B - V_{BE} - V_{DS} - I_D \cdot R_{SS} = 0$$

$$V_{DS} = V_B - V_{BE} - I_D \cdot R_{SS} = 9.75 \text{ V}$$

Finalmente, analizando la recta de carga de Q2, se tiene:

$$V_D = I_D \cdot R_{SS} + V_{DS} = 11.9 \text{ V}$$

$$V_{CC} - I_C \cdot R_C - V_{CE} - V_D = 0$$

$$V_{CE} = V_{CC} - I_C \cdot R_C - V_D = 2.03 \text{ V}$$

Con lo cual, los puntos de trabajo quedan como sigue:

$$Q1 \begin{cases} I_D = 2.15 \cdot 10^{-3} & \text{A} \\ V_{GS} = -2.15 & \text{V} \\ V_{DS} = 9.75 & \text{V} \end{cases}$$

$$Q2 \begin{cases} I_B = 2.15 \cdot 10^{-5} & \text{A} \\ I_C = 2.15 \cdot 10^{-3} & \text{A} \\ V_{CE} = 2.03 & \text{V} \end{cases}$$

c) El circuito en alterna de pequeña señal es el siguiente

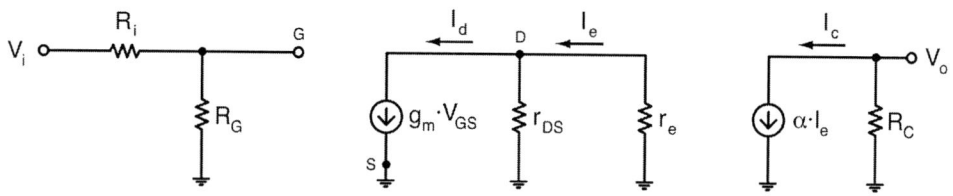

Analizando la malla de entrada se obtiene

$$V_G = \frac{R_G}{R_i + R_G} \cdot V_i \quad y \quad V_{GS} = V_G$$

de la malla intermedia

$$-g_m \cdot V_{GS} \cdot \left(r_{DS} \parallel r_e\right) = -I_e \cdot r_e$$

y de la malla de salida

$$V_o = -\alpha \cdot I_e \cdot R_L$$

De donde la ganancia en tensión se puede calcular como

$$\frac{V_o}{V_i} = \frac{V_o}{I_e} \cdot \frac{I_e}{V_G} \cdot \frac{V_G}{V_i}$$

y

$$A_V = \frac{V_o}{V_i} = \left(-\alpha \cdot R_L\right) \cdot \left[\frac{g_m \cdot \left(r_{DS} \parallel r_e\right)}{r_e}\right] \cdot \left(\frac{R_G}{R_S + R_G}\right) = -2.47$$

El signo negativo implica inversión de fase a la salida. Por lo tanto, la ganancia de tensión en dB es:

$$A_V(dB) = 20 \cdot \log \left|A_V\right| = 20 \cdot \log |2.47| = 7.85 \text{ dB}$$

d) La impedancia de entrada, teniendo en cuenta que no se considera la impedancia de la fuente R_S, vendrá dada por la siguiente expresión

$$Z_i = \frac{V_i}{I_i} = R_G = 1 \text{ M}\Omega$$

e) La impedancia de salida responde a la siguiente expresión

$$Z_O = \left. \frac{V_o}{I_o} \right|_{Vi=0V} = R_C = 500 \ \Omega$$

f) En cuanto a la ganancia de corriente, analizando las tres mallas del circuito se tiene:

- malla de entrada

$$I_i = \frac{V_i}{R_i + R_G} = \frac{V_G}{R_G}$$

- malla intermedia

$$- g_m \cdot V_{GS} \cdot (r_{DS} \parallel r_e) = -I_e \cdot r_e$$

- malla de salida

$$I_o = \alpha \cdot I_e$$

De donde la ganancia de corriente se puede calcular como

$$\frac{I_o}{I_i} = \frac{I_o}{I_e} \cdot \frac{I_e}{V_G} \cdot \frac{V_G}{I_i}$$

y

$$A_i = \frac{I_o}{I_i} = \alpha \cdot \left[\frac{g_m \cdot (r_{DS} \parallel r_e)}{r_e} \right] \cdot R_G = 4950$$

Por lo tanto, la ganancia de corriente en dB es:

$$A_i(dB) = 20 \cdot \log|A_i| = 20 \cdot \log 4950 = 73.9 \text{ dB}$$

Problema 5

Para el circuito amplificador de la figura, tener en cuenta que en ambos transistores $\beta = 100$, $V_{BE} = 0.7$ V e $I_B \approx 0$. Calcular:

a) El punto de trabajo de cada transistor.

b) La ganancia de tensión $A_V = V_o/V_S$ expresada en dB.

c) La impedancia de entrada Z_i.

d) La impedancia de salida Z_o.

e) La ganancia de corriente $A_i = I_o/I_i$, expresada en dB.

f) El margen dinámico.

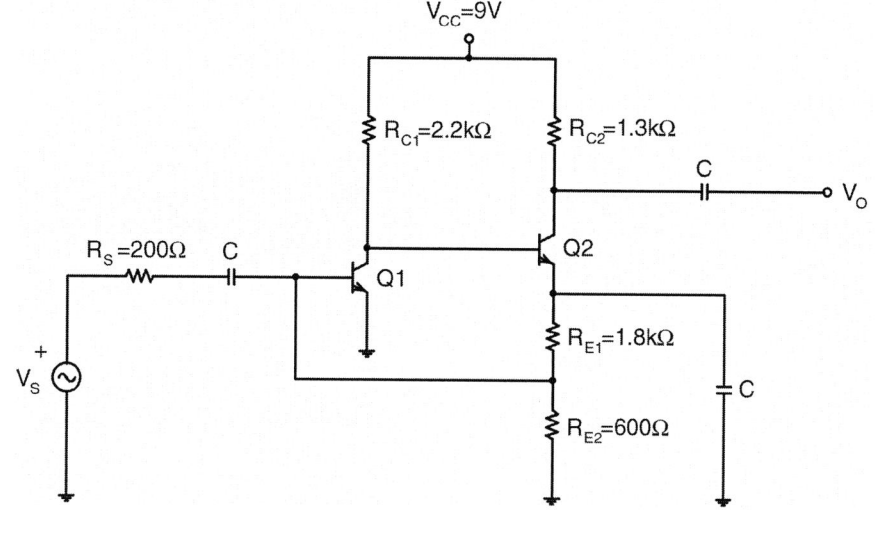

a) Planteamos las ecuaciones de continua para Q1 y Q2.

En el caso de Q1 se obtiene:

$$V_{B1} = V_{E1} + V_{BE} = 0 + 0.7 = 0.7 \text{ V}$$

$$V_{CC} - I_{C1} \cdot R_{C1} - V_{CE1} = 0 \tag{1}$$

$$V_{CE1} = V_{C1} = V_{B2} \tag{2}$$

En el caso de Q2 se obtiene

$$I_{E2} = \frac{V_{B1}}{R_{E2}} = 1.17 \cdot 10^{-3} \text{ A}$$

$$I_{C2} \approx I_{E2}$$

$$V_{CC} - I_{C2} \cdot R_{C2} - V_{CE2} - I_{C2} \cdot R_{E1} - I_{C2} \cdot R_{E2} = 0$$

$$V_{CE2} = V_{CC} - I_{C2} \cdot (R_{C2} + R_{E1} + R_{E2}) = 4.67 \text{ V}$$

además

$$V_{E2} = I_{C2} \cdot (R_{E1} + R_{E2}) = 2.81 \text{ V}$$

$$V_{B2} = V_{E2} + V_{BE} = 3.51 \text{ V} \tag{2}$$

y, teniendo en cuenta (1), (2) y (3)

$$V_{CE1} = V_{C1} = V_{B2} = 3.51 \text{ V}$$

$$I_{C1} = \frac{V_{CC} - V_{CE1}}{R_{C1}} = 2.5 \cdot 10^{-3} \text{ A}$$

Con lo cual, los puntos de trabajo quedan como sigue:

$$Q1 \begin{cases} I_{C1} = 2.5 & \text{mA} \\ V_{CE1} = 3.51 & \text{V} \end{cases}$$

$$Q2 \begin{cases} I_{C2} = 1.17 & \text{mA} \\ V_{CE2} = 4.67 & \text{V} \end{cases}$$

c) El circuito en alterna de pequeña señal es el siguiente

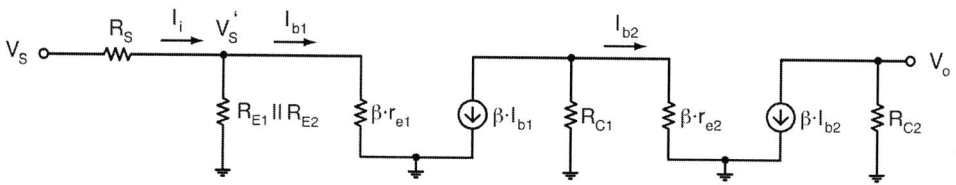

y del análisis en continua realizado en el apartado a) se desprende que

$$r_{e1} = \frac{26\ mV}{I_{E1}} = 10.4\ \Omega \qquad r_{e2} = \frac{26\ mV}{I_{E2}} = 22.2\ \Omega$$

Por otro lado, de la malla de entrada se obtiene

$$V_S' = I_{b1} \cdot \beta \cdot r_{e1}$$

de la malla intermedia

$$-I_{b1} \cdot \beta \cdot \left(R_{C1} \parallel \beta \cdot r_{e2}\right) = I_{b2} \cdot \beta \cdot r_{e2}$$

y de la malla de salida

$$V_o = -\beta \cdot I_{b2} \cdot R_{C2}$$

Por tanto, la ganancia en tensión se puede calcular como

$$\frac{V_o}{V_S'} = \frac{V_o}{I_{b2}} \cdot \frac{I_{b2}}{I_{b1}} \cdot \frac{I_{b1}}{V_S'}$$

de donde

$$\frac{V_o}{V_S'} = \left(-\beta \cdot R_{C2}\right) \cdot \left[\frac{-\beta \cdot \left(R_{C1} \parallel \beta \cdot r_{e2}\right)}{\beta \cdot r_{e2}}\right] \cdot \left(\frac{1}{\beta \cdot r_{e1}}\right)$$

Por otro lado, se cumple

$$V_S' = \frac{\left[\left(R_{E1} \parallel R_{E2}\right) \parallel \beta \cdot r_{e1}\right]}{R_S + \left[\left(R_{E1} \parallel R_{E2}\right) \parallel \beta \cdot r_{e1}\right]} \cdot V_S$$

y, por tanto

$$A_V = \frac{V_o}{V_S} = \frac{V_o}{V_S'} \cdot \frac{V_S'}{V_S}$$

$$A_V = \left(-\beta \cdot R_{C2}\right) \cdot \left[\frac{-\beta \cdot \left(R_{C1} \parallel \beta \cdot r_{e2}\right)}{\beta \cdot r_{e2}}\right] \cdot \left(\frac{1}{\beta \cdot r_{e1}}\right) \cdot \frac{\left[\left(R_{E1} \parallel R_{E2}\right) \parallel \beta \cdot r_{e1}\right]}{R_S + \left[\left(R_{E1} \parallel R_{E2}\right) \parallel \beta \cdot r_{e1}\right]}$$

Sustituyendo valores, se obtiene en dB

$$A_V(dB) = 20 \cdot \log|A_V| = 20 \cdot \log 3795 = 71.58 \text{ dB}$$

c) Para calcular la impedancia de entrada Z_i no se considera R_S porque es la resistencia de la fuente, por ello

$$Z_i = \frac{V_i}{I_i} = \left[\left(R_{E1} \parallel R_{E2}\right) \parallel \beta \cdot r_{e1}\right] = 314 \ \Omega$$

d) La impedancia de salida responde a la siguiente expresión

$$Z_o = \frac{V_o}{I_o}\bigg|_{Vs=0V} = R_{C2} = 1.3 \text{ k}\Omega$$

e) Para calcular la ganancia de corriente, de la malla de entrada se obtiene

$$I_i \cdot \left[(R_{E1} \| R_{E2}) \| \beta \cdot r_{e1}\right] = I_{b1} \cdot \beta \cdot r_{e1}$$

de la malla intermedia

$$-I_{b1} \cdot \beta \cdot (R_{C1} \| \beta \cdot r_{e2}) = I_{b2} \cdot \beta \cdot r_{e2}$$

y de la malla de salida

$$I_o = \beta \cdot I_{b2}$$

Entonces

$$A_i = \frac{I_o}{I_i} = \frac{I_o}{I_{b2}} \cdot \frac{I_{b2}}{I_{b1}} \cdot \frac{I_{b1}}{I_i}$$

$$A_i = \beta \cdot \frac{\left[\beta \cdot (R_{C1} \| \beta \cdot r_{e2})\right]}{\beta \cdot r_{e2}} \cdot \frac{\left[(R_{E1} \| R_{E2}) \| \beta \cdot r_{e1}\right]}{\beta \cdot r_{e1}}$$

Sustituyendo valores, se obtiene en dB

$$A_i(dB) = 20 \cdot \log|A_i| = 20 \cdot \log 1503 = 63.54 \text{ dB}$$

f) Para calcular el margen dinámico, sabemos del apartado a) que el punto Q del transistor Q2 es:

$$Q2 \left\{ \begin{array}{ll} I_{C2} = 1.17 & \text{mA} \\ V_{CE2} = 4.67 & \text{V} \end{array} \right.$$

además, en alterna se cumplirá

$$\Delta V_{C2} = \Delta V_{CE2}$$

La variación en la tensión de salida, V_{C2}, es igual a la variación que sufre la V_{CE2}. La tensión V_{CE2} puede disminuir hasta $V_{CE2(sat)} = 0.2$ V, lo cual implica una variación $\Delta V_{CE2} = |V_{CE2} - V_{CE2(sat)}| = 4.47$ V.

La tensión V_{CE2} puede aumentar hasta $V_{CE2(corte)} = 9$ V, lo cual implica una variación $\Delta V_{CE2} = |V_{CE2} - V_{CE2(corte)}| = 4.33$ V.

Asumiendo una excursión simétrica de la señal de salida, la máxima variación de esta será igual al mínimo de las variaciones calculadas anteriormente: $\Delta V_{CE2} = 4.33$ V.

Por tanto, la máxima variación posible de la señal alterna a la salida del amplificador será igual a la máxima variación posible de la tensión V_{C2}, $V_{o\,(max)} = \Delta V_{CE2} = 4.33$ V.

A partir de esto, se puede deducir la máxima amplitud posible de la señal de entrada como:

$$V_{S\,max} = \frac{V_{o\,max}}{A_V} = \frac{4.33}{3795} = 0.0011 \text{ V}$$

Problema 6

En el amplificador CASCODO de la figura, calcular, bajo la condición de pequeña señal:

a) El análisis en continua.

b) La ganancia de tensión $A_V = V_o/V_S$ expresada en dB.

c) La impedancia de entrada Z_i.

d) La impedancia de salida Z_o.

e) La ganancia de corriente $A_i = I_o/I_S$ expresada en dB.

Considerar $\beta = 330$ y $V_{BE} = 0.7$ V, para ambos transistores bipolares Q1 y Q2.

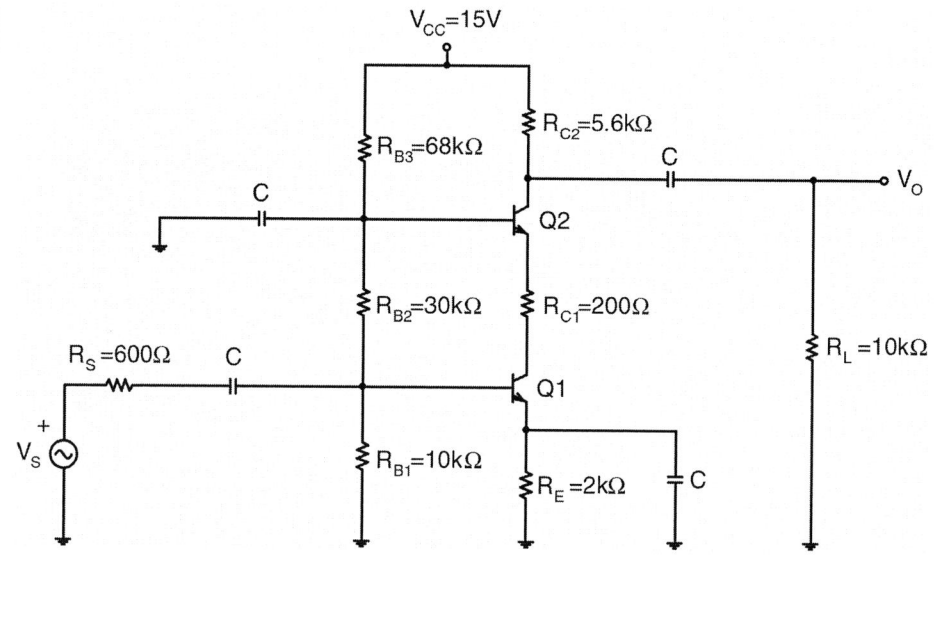

a) Para realizar el análisis en continua supondremos que I_{B1} e I_{B2} son mucho más pequeñas que las corrientes que circulan por las resistencias R_{B1}, R_{B2}, y R_{B3}, entonces se obtiene

$$V_{B1} = \frac{R_{B1}}{R_{B1} + R_{B2} + R_{B3}} \cdot V_{CC} = 1.39 \text{ V}$$

$$V_{E1} = V_{B1} - V_{BE} = 0.69 \text{ V}$$

$$I_{E1} = \frac{V_{E1}}{R_E} = 0.35 \text{ mA} \quad y \quad I_{C1} \approx I_{E1} = 0.35 \text{ mA}$$

y de la misma manera

$$V_{B2} = \frac{R_{B1} + R_{B2}}{R_{B1} + R_{B2} + R_{B3}} \cdot V_{CC} = 5.56 \text{ V}$$

$$V_{E2} = V_{B2} - V_{BE} = 4.86 \text{ V}$$

$$I_{E2} = I_{C1} = 0.35 \text{ mA} \quad y \quad I_{C2} \approx I_{E2} = 0.35 \text{ mA}$$

Por lo tanto se puede determinar que

$$V_{CC} - I_{C2} \cdot R_{C2} - V_{CE2} - V_{E2} = 0$$

$$V_{CE2} = V_{CC} - I_{C2} \cdot R_{C2} - V_{E2} = 15 - 0.35 \cdot 5.6 - 4.85 = 8.19 \text{ V}$$

y

$$V_{E2} - I_{C1} \cdot R_{C1} - V_{CE1} - I_{C1} \cdot R_E = 0$$

$$V_{CE1} = V_{E2} - I_{C1} \cdot R_{C1} - I_{C1} \cdot R_E = 4.86 - 0.35 \cdot 0.2 - 0.35 \cdot 2 = 4.09 \text{ V}$$

b) El circuito en alterna de pequeña señal es el siguiente

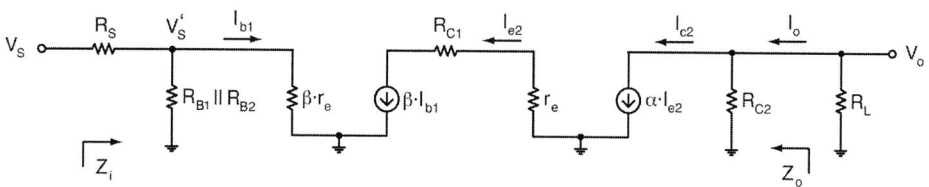

donde

$$r_e = \frac{26mV}{I_E} = 75\ \Omega$$

De la malla de entrada se deduce que

$$V_S' = \frac{\left[\left(R_{B1} \parallel R_{B2}\right) \parallel \beta \cdot r_e\right]}{R_S + \left[\left(R_{B1} \parallel R_{B2}\right) \parallel \beta \cdot r_e\right]} \cdot V_S$$

$$V_S' = I_{b1} \cdot \beta \cdot r_e$$

de la malla intermedia

$$I_{b1} \cdot \beta = I_{e2}$$

y de la malla de salida

$$V_o = \left(-\alpha \cdot I_{e2}\right) \cdot \left(R_{C2} \parallel R_L\right)$$

Entonces, se puede establecer la siguiente relación:

$$A_V = \frac{V_o}{V_S} = \frac{V_o}{I_{e2}} \cdot \frac{I_{e2}}{I_{b1}} \cdot \frac{I_{b1}}{V_S'} \cdot \frac{V_S'}{V_S}$$

y, finalmente

$$A_V = \left[-\alpha \cdot \left(R_{C2} \| R_L\right)\right] \cdot \beta \cdot \left(\frac{1}{\beta \cdot r_e}\right) \cdot \left[\frac{\left[\left(R_{B1} \| R_{B2}\right)\| \beta \cdot r_e\right]}{R_S + \left[\left(R_{B1} \| R_{B2}\right)\| \beta \cdot r_e\right]}\right] = -43$$

Sustituyendo valores, se obtiene en dB

$$A_V\,(dB) = 20 \cdot \log|A_V| = 20 \cdot \log|-43| = 33\ \text{dB}$$

c) Para calcular la impedancia de entrada Z_i no se considera R_S porque es la resistencia de la fuente, por ello

$$Z_i = \frac{V_i}{I_i} = \left[\left(R_{B1} \| R_{B2}\right)\| \beta \cdot r_e\right] = 5.8\ k\Omega$$

d) Para calcular la impedancia de salida Z_o no se considera R_L, por ello

$$Z_o = \frac{V_o}{I_o}\bigg|_{Vs=0\,V} = R_{C2} = 5.6\ \text{k}\Omega$$

e) Para calcular la ganancia de corriente, de la malla de entrada se obtiene

$$I_i \cdot \left[\left(R_{B1} \| R_{B2}\right)\| \beta \cdot r_e\right] = I_{b1} \cdot \beta \cdot r_e$$

de la malla intermedia

$$I_{b1} \cdot \beta = I_{e2}$$

y de la malla de salida

$$-I_o \cdot R_L = \left(-\alpha \cdot I_{e2}\right) \cdot \left(R_{C2} \| R_L\right)$$

Entonces

$$A_i = \frac{I_o}{I_i} = \frac{I_o}{I_{e2}} \cdot \frac{I_{e2}}{I_{b1}} \cdot \frac{I_{b1}}{I_i}$$

$$A_i = \frac{\alpha \cdot \left(R_{C2} \parallel R_L\right)}{R_L} \cdot \beta \cdot \frac{\left[\left(R_{B1} \parallel R_{B2}\right) \parallel \beta \cdot r_e\right]}{\beta \cdot r_e} = 27$$

Sustituyendo valores, se obtiene en dB

$$A_i(dB) = 20 \cdot \log|A_i| = 20 \cdot \log|-27| = 29 \text{ dB}$$

Problema 7

En el amplificador DARLINGTON de la figura, calcular bajo la condición de pequeña señal:

a) El punto de polarización.

b) La ganancia de tensión $A_V = V_o/V_i$ expresada en dB.

c) La impedancia de entrada Z_i.

d) La impedancia de salida Z_o.

e) La ganancia de corriente $A_i = I_o/I_i$ expresada en dB.

Datos: $\beta = 100$, $V_{BE1} = V_{BE2} = 0.6$ V.

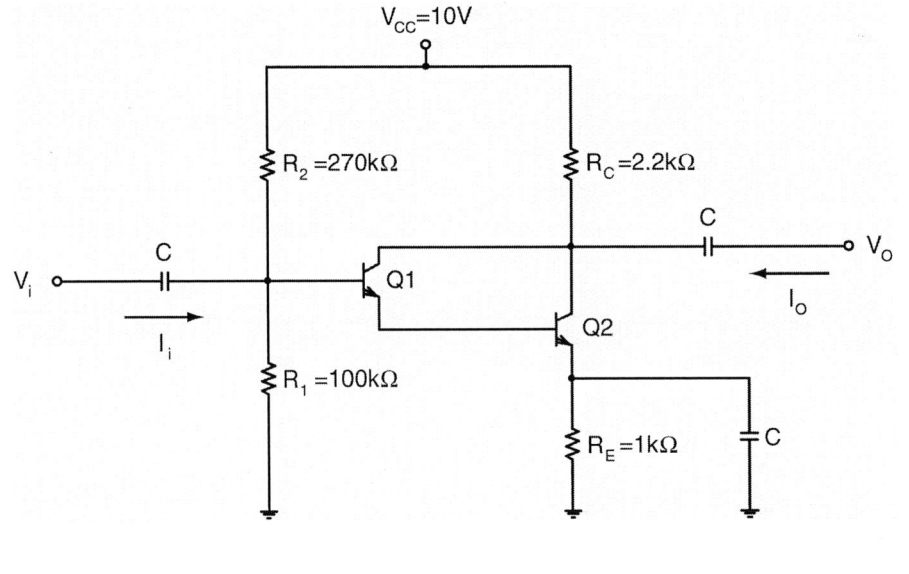

a) Hallando el equivalente Thévenin de las resistencias de entrada R_1 y R_2 se obtiene

$$R_{Th} = R_1 \| R_2 = 73 \text{ k}\Omega$$

$$V_{Th} = \frac{R_1}{R_1 + R_2} \cdot V_{CC} = 2.7 \text{ V}$$

A partir de este, considerando la malla de entrada (base-emisor) se obtienen las siguientes relaciones:

$$V_{Th} - I_{B1} \cdot R_{Th} - V_{BE1} - V_{BE2} - I_{E2} \cdot R_E = 0 \tag{1}$$

$$\left. \begin{array}{c} I_{E2} = (\beta+1) \cdot I_{B2} \\ I_{E1} = I_{B2} \\ I_{E1} = (\beta+1) \cdot I_{B1} \end{array} \right\} \quad I_{E2} = (\beta+1) \cdot (\beta+1) \cdot I_{B1} \tag{2}$$

Por lo que sustituyendo (2) en (1), se obtiene

$$V_{Th} - I_{B1} \cdot R_{Th} - V_{BE1} - V_{BE2} - (\beta+1) \cdot (\beta+1) \cdot I_{B1} \cdot R_E = 0$$

de donde

$$I_{B1} = \frac{V_{Th} - V_{BE1} - V_{BE2}}{R_{Th} + (\beta+1) \cdot (\beta+1) \cdot R_E} = 147 \text{ nA}$$

$$I_{E2} = (\beta+1) \cdot (\beta+1) \cdot I_{B1} = 1.49 \text{ mA}$$

Analizando ahora la malla de salida (colector-emisor) se obtiene

$$V_{CC} - I_{RC} \cdot R_C - V_{CE2} - I_{E2} \cdot R_E = 0$$

y teniendo en cuenta que

$$\left.\begin{array}{c} I_{RC} = I_{C2} + I_{C1} \\ I_{C1} \approx I_{E1} = I_{B2} \end{array}\right\} \quad I_{RC} = I_{C2} + I_{B2} = I_{E2}$$

entonces

$$V_{CE2} = V_{CC} - I_{E2} \cdot (R_C + R_E) = 5.23 \text{ V}$$

Por lo tanto, el punto de trabajo de ambos transistores viene determinado por

$$Q1 \begin{cases} I_{B1} = 147 \text{ nA} \\ V_{CE1} = V_{CE2} - V_{BE2} = 4.63 \text{ V} \\ I_{C1} = \beta \cdot I_{B1} = 14.7 \text{ } \mu A \end{cases} \qquad Q2 \begin{cases} I_{B2} = I_{C1} = 14.7 \text{ } \mu A \\ V_{CE2} = 5.23 \text{ V} \\ I_{C2} \approx I_{E2} = 1.49 \text{ mA} \end{cases}$$

b) El circuito equivalente de alterna de pequeña señal es

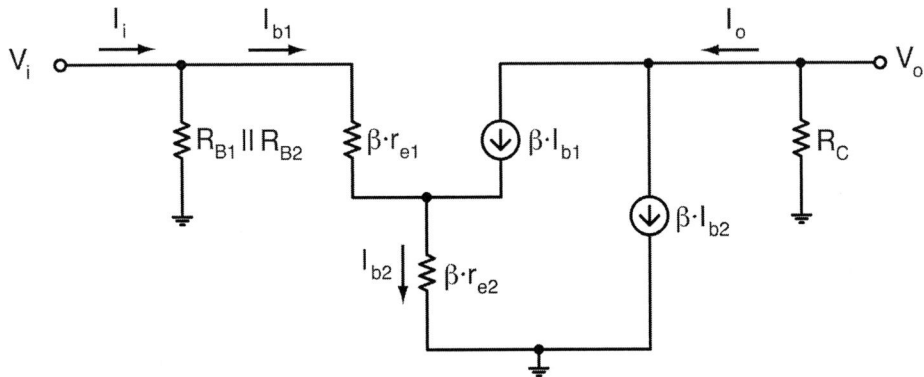

Del análisis en continua se deduce que

$$r_{e1} = \frac{26\,mV}{I_{E1}} = 1760\,\Omega \qquad r_{e2} = \frac{26\,mV}{I_{E2}} = 17.43\,\Omega$$

y del circuito equivalente en alterna se obtiene

$$V_i - I_{b1} \cdot \beta \cdot r_{e1} - I_{b2} \cdot \beta \cdot r_{e2} = 0 \tag{3}$$

$$I_{b2} = I_{e1} = (\beta + 1) \cdot I_{b1} \tag{4}$$

Sustituyendo (4) en (3) se obtiene

$$V_i = I_{b1} \cdot \left[\beta \cdot r_{e1} + (\beta + 1) \cdot \beta \cdot r_{e2} \right] \tag{5}$$

De manera análoga se deduce que

$$V_o = -I_o \cdot R_C \tag{6}$$

$$I_o = \beta \cdot I_{b2} + \beta \cdot I_{b1} = \beta \cdot (\beta + 1) \cdot I_{b1} + \beta \cdot I_{b1} \tag{7}$$

Sustituyendo (7) en (6) se obtiene

$$V_o = -\beta \cdot (\beta + 1) \cdot I_{b1} \cdot R_C - \beta \cdot I_{b1} \cdot R_C = -I_{b1} \cdot \left[\beta \cdot (\beta + 1) + \beta \right] \cdot R_C$$

de donde la ganancia en tensión viene dada por

$$A_V = \frac{V_o}{V_i} = -\frac{\left[\beta \cdot (\beta + 1) + \beta \right] \cdot R_C}{\left[\beta \cdot r_{e1} + (\beta + 1) \cdot \beta \cdot r_{e2} \right]}$$

Sustituyendo valores y teniendo en cuenta que el signo negativo implica inversión de fase a la salida, se obtiene en dB

$$A_V(dB) = 20 \cdot \log |A_V| = 20 \cdot \log |63.75| = 36 \text{ dB}$$

c) Para calcular la impedancia de entrada Z_i se tiene en cuenta (5), entonces

$$Z_B = \frac{V_B}{I_{b1}} = \frac{V_i}{I_{b1}} = \beta \cdot r_{e1} + (\beta+1) \cdot \beta \cdot r_{e2} = 352 \text{ k}\Omega$$

y

$$Z_i = \frac{V_i}{I_i} = (R_1 \| R_2) \| Z_B = 60.44 \text{ k}\Omega$$

d) La impedancia de salida Z_o viene determinada por

$$Z_o = \frac{V_o}{I_o}\bigg|_{V_i=0V} = R_C = 2.2 \text{ k}\Omega$$

d) Para calcular la ganancia de corriente, de la malla de entrada se obtiene

$$I_i \cdot [(R_1 \| R_2) \| Z_B] = I_{b1} \cdot Z_B$$

$$I_i = \frac{Z_B}{[(R_1 \| R_2) \| Z_B]} \cdot I_{b1}$$

y del apartado b) se tiene que

$$I_o = I_{b1} \cdot [\beta \cdot (\beta+1) + \beta]$$

Por lo tanto,

$$A_i = \frac{I_o}{I_i} = \frac{\left[\beta \cdot (\beta+1) + \beta\right] \cdot I_{b1}}{\dfrac{Z_B}{\left[(R_1 \| R_2) \| Z_B\right]} \cdot I_{b1}} = \frac{\left[\beta \cdot (\beta+1) + \beta\right] \cdot \left[(R_1 \| R_2) \| Z_B\right]}{Z_B}$$

Sustituyendo valores se obtiene en dB

$$A_i(dB) = 20 \cdot \log|A_i| = 20 \cdot \log|1751| = 64.9 \text{ dB}$$

Problema 8

En el circuito amplificador multietapa presentado en la figura, los parámetros característicos de los transistores JFET utilizados son g_m = 10 mA/V, $r_{DS} = \infty$, $V_P = -1$V e $I_{DSS} = 10$ mA. Determinar:

a) El punto de trabajo de Q1 y Q2.

b) La ganancia de tensión $A_V = V_O/V_i$, la impedancia de entrada Z_i y la impedancia de salida Z_o en la banda de frecuencias medias.

c) La frecuencia de corte a que da lugar cada uno de los condensadores C_1, C_2 y C_3 independientemente, así como la frecuencia de corte global.

d) El margen dinámico en la resistencia de carga R_L.

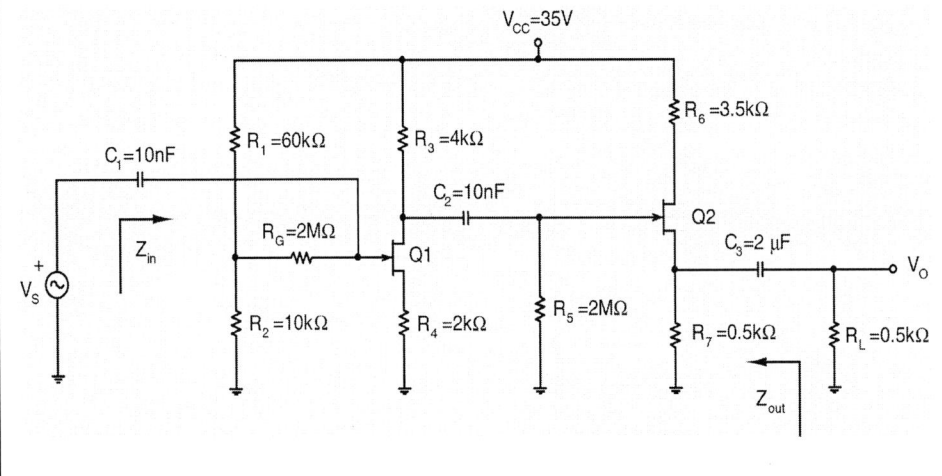

a) Veamos cada etapa por separado:

▪ Etapa 1

La tensión Thévenin equivalente viene dada por

$$V_{Th} = \frac{R_2}{R_1 + R_2} \cdot V_{CC} = 5 \text{ V}$$

Dado que la impedancia de entrada del JFET es muy elevada, $I_G = 0$ A y, por tanto,

$$V_G = V_{Th} - I_G \cdot R_G = V_{Th} = 5 \text{ V}$$

$$V_{GS} = V_G - V_S = V_G - I_D \cdot R_4 \tag{1}$$

Por otro lado, la ecuación de Shockley nos relaciona también I_D con V_{GS} del siguiente modo

$$I_D = I_{DSS} \cdot \left(1 - \frac{V_{GS}}{V_p}\right)^2 = I_{DSS} \cdot \left(1 - \frac{V_G - I_D \cdot R_4}{V_p}\right)^2$$

$$I_D = \frac{I_{DSS}}{V_p^2} \cdot \left(V_p - V_G + I_D \cdot R_4\right)^2 = \frac{I_{DSS}}{V_p^2} \cdot \left(V_{pG}^2 + 2 \cdot V_{pG} \cdot I_D \cdot R_4 + I_D^2 \cdot R_4^2\right)$$

Donde $V_{pS} = V_p - V_G$. Agrupando los diferentes términos que acompañan a I_D queda una ecuación de segundo grado como la siguiente:

$$I_D \cdot V_p^2 = I_{DSS} \cdot V_{pG}^2 + I_{DSS} \cdot 2 \cdot V_{pG} \cdot I_D \cdot R_4 + I_{DSS} \cdot I_D^2 \cdot R_4^2$$

$$I_D^2 \cdot I_{DSS} \cdot R_4^2 + I_D \cdot \left[I_{DSS} \cdot 2 \cdot V_{pG} \cdot R_4 - V_p^2\right] + I_{DSS} \cdot V_{pG}^2 = 0$$

Ahora, sustituyendo valores se obtiene

$$I_D = \frac{-b \pm \sqrt{b^2 - 4 \cdot a \cdot c}}{2 \cdot a}$$

$$I_D = \frac{241 \pm \sqrt{241^2 - 57600}}{80000} = \begin{cases} I_{D1} = 3.29 \cdot 10^{-3} \text{ A} \\ I_{D2} = 2.74 \cdot 10^{-3} \text{ A} \end{cases} \qquad (2)$$

Para calcular V_{GS} acudimos a (1). Sustituyendo los valores de (2) para I_D se obtiene

$$V_{GS} = \begin{cases} 5 - I_{D1} \cdot R_4 \\ 5 - I_{D2} \cdot R_4 \end{cases} = \begin{cases} -1.58 \text{ V (No válida, pues } V_p = -1 \text{ V)} \\ -0.48 \text{ V} \end{cases}$$

Finalmente, para el cálculo de V_{DS} se estudia la malla de salida correspondiente

$$V_{CC} - I_D \cdot R_3 - V_{DS} - I_D \cdot R_4 = 0$$

de donde

$$V_{DS} = V_{CC} - I_D \cdot (R_3 + R_4) = 18.56 \text{ V}$$

- Etapa 2

Dado que $V_G = 0$ V, se tiene que

$$V_{GS} = V_G - V_S = 0 - I_D \cdot R_7 = -I_D \cdot R_7 \qquad (3)$$

Aplicando la ecuación de Shockley se obtiene

$$I_D = I_{DSS} \cdot \left(1 - \frac{V_{GS}}{V_p}\right)^2 = I_{DSS} \cdot \left(1 + \frac{I_D \cdot R_7}{V_p}\right)^2$$

de donde

$$I_D \cdot V_p^2 = I_{DSS} \cdot V_p^2 + I_{DSS} \cdot 2 \cdot V_p \cdot I_D \cdot R_7 + I_{DSS} \cdot I_D^2 \cdot R_7^2$$

$$I_D^2 \cdot I_{DSS} \cdot R_7^2 + I_D \cdot \left[I_{DSS} \cdot 2 \cdot V_p \cdot R_7 - V_p^2\right] + I_{DSS} \cdot V_p^2 = 0$$

Ahora, sustituyendo valores se obtiene

$$I_D = \frac{-b \pm \sqrt{b^2 - 4 \cdot a \cdot c}}{2 \cdot a}$$

$$I_D = \frac{11 \pm \sqrt{121 - 100}}{5000} = \begin{cases} I_{D1} = 1.28 \cdot 10^{-3} \text{ A} \\ I_{D2} = 3.12 \cdot 10^{-3} \text{ A} \end{cases} \tag{4}$$

Para calcular V_{GS} acudimos a (3). Sustituyendo los valores de (4) para I_D se obtiene

$$V_{GS} = \begin{cases} -I_{D1} \cdot R_7 \\ -I_{D2} \cdot R_7 \end{cases} = \begin{cases} -0.64 \text{ V} \\ -1.56 \text{ V (No válida, pues } V_p = -1 \text{ V)} \end{cases}$$

Finalmente, para el cálculo de V_{DS} se estudia la malla de salida correspondiente

$$V_{CC} - I_D \cdot R_6 - V_{DS} - I_D \cdot R_7 = 0$$

de donde

$$V_{DS} = V_{CC} - I_D \cdot (R_6 + R_7) = 29.88 \text{ V}$$

Por lo tanto, el punto de trabajo de ambos transistores viene determinado por

$$Q1 \begin{cases} I_D = 2.74 \text{ mA} \\ V_{GS} = -0.48 \text{ V} \\ V_{DS} = 18.56 \text{ V} \end{cases} \qquad Q2 \begin{cases} I_D = 1.28 \text{ mA} \\ V_{GS} = -0.64 \text{ V} \\ V_{DS} = 29.88 \text{ V} \end{cases}$$

b) El circuito en alterna de pequeña señal es el siguiente

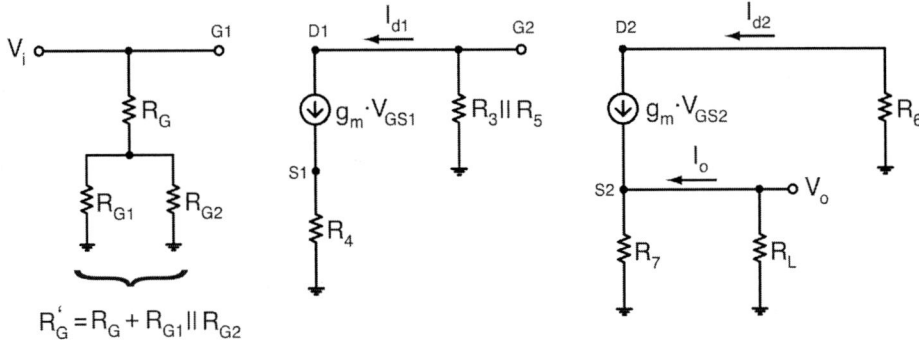

$$R'_G = R_G + R_{G1} \| R_{G2}$$

■ Ganancia en tensión:

Analizando primero la malla de entrada se tiene

$$V_i = V_{G1}$$

de la malla intermedia se deduce

$$V_{GS1} = V_{G1} - V_{S1} = V_i - I_{d1} \cdot R_4 \qquad (5)$$

$$V_{G2} = -I_{d1} \cdot (R_3 \| R_5) \qquad (6)$$

$$I_{d1} = g_m \cdot V_{GS1} \tag{7}$$

Sustituyendo (7) en (5) se obtiene

$$V_{GS1} = V_i - g_m \cdot V_{GS1} \cdot R_4 \quad \Rightarrow \quad V_{GS1} = \frac{V_i}{1 + g_m \cdot R_4} \tag{8}$$

Y de la malla final se obtiene

$$V_o = V_{S2} = I_{d2} \cdot (R_7 \| R_L) \tag{9}$$

$$I_{d2} = g_m \cdot V_{GS2} = g_m \cdot (V_{G2} - V_{S2}) = g_m \cdot (V_{G2} - V_o) \tag{10}$$

Sustituyendo (10) en (9) se obtiene

$$V_o = g_m \cdot (V_{G2} - V_o) \cdot (R_7 \| R_L)$$

$$V_o = g_m \cdot V_{G2} \cdot (R_7 \| R_L) - g_m \cdot V_o \cdot (R_7 \| R_L)$$

$$V_o \cdot [1 + g_m \cdot (R_7 \| R_L)] = g_m \cdot V_{G2} \cdot (R_7 \| R_L) \tag{11}$$

Ahora, sustituyendo (6) en (11) se tiene

$$V_o \cdot [1 + g_m \cdot (R_7 \| R_L)] = -g_m \cdot I_{d1} \cdot (R_3 \| R_5) \cdot (R_7 \| R_L) \tag{12}$$

sustituyendo (7) en (12)

$$V_o \cdot [1 + g_m \cdot (R_7 \| R_L)] = -g_m \cdot [g_m \cdot V_{GS1}] \cdot (R_3 \| R_5) \cdot (R_7 \| R_L) \tag{13}$$

sustituyendo (8) en (13)

$$V_o \cdot \left[1 + g_m \cdot (R_7 \| R_L)\right] = -g_m \cdot \left[g_m \cdot \frac{V_i}{1 + g_m \cdot R_4}\right] \cdot (R_3 \| R_5) \cdot (R_7 \| R_L) \quad (13)$$

Por lo tanto,

$$A_V = \frac{V_o}{V_i} = \frac{-g_m \cdot \left[\dfrac{g_m}{1 + g_m \cdot R_4}\right] \cdot (R_3 \| R_5) \cdot (R_7 \| R_L)}{\left[1 + g_m \cdot (R_7 \| R_L)\right]}$$

$$A_V = \frac{V_o}{V_i} = \frac{-g_m^2 \cdot (R_3 \| R_5) \cdot (R_7 \| R_L)}{\left[1 + g_m \cdot (R_7 \| R_L)\right] \cdot \left[1 + g_m \cdot R_4\right]} = -1.35$$

Donde el signo negativo implica inversión de fase a la salida.

- Para calcular la impedancia de entrada Z_i se tiene en cuenta la malla de entrada, entonces

$$Z_i = \frac{V_i}{I_i} = R_G' = R_G + R_{G1} \| R_{G2} \approx 2\ \mathrm{M\Omega}$$

- La impedancia de salida Z_o viene determinada por

$$Z_o = \left.\frac{V_o}{I_o}\right|_{V=0V}$$

Además, no se considera R_L en el cálculo. Analizando el nudo S2 se obtiene

$$I_o + g_m \cdot V_{GS2} = I_{R7} = \frac{V_o}{R_7} \tag{14}$$

Si $V_i = 0$, entonces por las ecuaciones (6), (7) y (8) se cumple:

$$V_{GS1} = 0 \text{ V}$$

$$I_{d1} = g_m \cdot V_{GS1} = 0 \text{ A}$$

$$V_{G2} = 0 \text{ V}$$

Por tanto

$$V_{GS2} = V_{G2} - V_{S2} = 0 - V_o \tag{15}$$

Y sustituyendo (15) en (14) se obtiene

$$I_o - g_m \cdot V_o = \frac{V_o}{R_7} \quad \Rightarrow \quad I_o = V_o \cdot \left[g_m + \frac{1}{R_7} \right]$$

$$Z_o = \frac{V_o}{I_o} \bigg|_{Vs=0V} = \frac{1}{g_m + \dfrac{1}{R_7}} = 83.3 \ \Omega$$

c) Las frecuencias de corte vienen determinadas por las siguientes expresiones

$$f_{C1} = \frac{1}{2 \cdot \pi \cdot C_1 \cdot Z_i} = 7.92 \text{ Hz}$$

$$f_{C2} = \frac{1}{2 \cdot \pi \cdot C_3 \cdot (Z_o + R_L)} = 27.28 \text{ kHz}$$

Para calcular la tercera frecuencia de corte se observa la siguiente figura

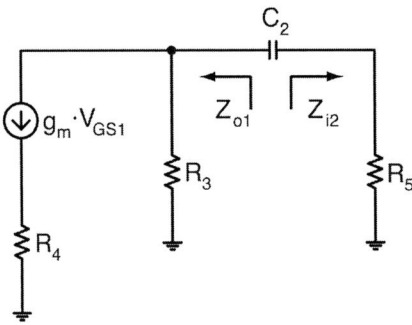

Si $V_i = 0$, entonces por la ecuación (8), $V_{GS1} = 0V$, por lo tanto, $Z_{o1} = R_3$ y $Z_{i2} = R_5$.

$$f_{C3} = \frac{1}{2 \cdot \pi \cdot C_2 \cdot (Z_{i2} + Z_{o1})} = 0.04 \text{ Hz}$$

d) Para calcular el margen dinámico de la resistencia de carga R_L se hace uso de la siguiente relación

$$V_{RL} = V_S = V_{CC} - V_{DS} - I_D \cdot R_6 \qquad (16)$$

Por otro lado, se sabe que

$$V_{DS \, min} = V_{DS(sat)} = V_{GS} - V_p = -0.64 - (-1) = 0.36 \text{ V}$$

$$V_{DS \, max} = V_{DS} = 29.88 \text{ V}$$

Y sustituyendo estos valores en (16) se obtiene

$$V_{RL \, min} = V_{CC} - V_{DS \, max} - I_D \cdot R_6 = 0.64 \text{ V}$$

$$V_{RL \, max} = V_{CC} - V_{DS \, min} - I_D \cdot R_6 = 30.16 \text{ V}$$

Problema 9

En el circuito amplificador presentado en la figura, los transistores tienen las siguientes características: $\beta = 200$, $r_e = 50\ \Omega$, $V_{BE} = 0.7\ V$.

a) Calcular el punto de polarización de ambos transistores.

b) Calcular la ganancia de tensión $A_V = V_O/V_S$, la impedancia de entrada Z_i, la impedancia de salida Z_o y la ganancia de corriente $A_i = I_O/I_i$ en la banda de frecuencias medias.

c) Determinar la frecuencia de corte inferior.

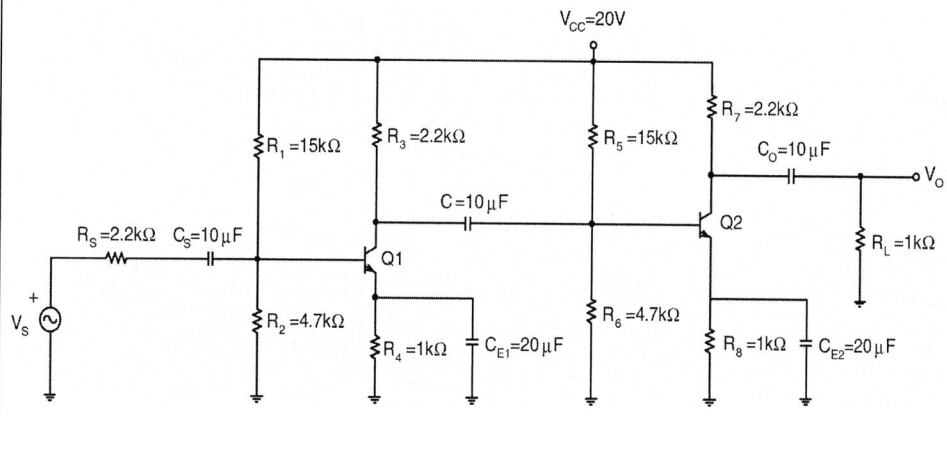

a) Veamos cada etapa por separado:

- Etapa 1

La tensión e impedancia Thévenin equivalentes vienen dadas por

$$V_{Th1} = \frac{R_2}{R_1 + R_2} \cdot V_{CC} = 4.77 \text{ V}$$

$$R_{Th1} = R_1 \parallel R_2 = 3.58 \text{ k}\Omega$$

De la malla de entrada se deduce que,

$$V_{Th1} - I_{B1} \cdot R_{Th1} - V_{BE1} - I_{E1} \cdot R_4 = 0$$

$$V_{Th1} - I_{B1} \cdot R_{Th1} - V_{BE1} - (\beta + 1) \cdot I_{B1} \cdot R_4 = 0$$

de donde

$$I_{B1} = \frac{V_{Th1} - V_{BE1}}{R_{Th1} + (\beta + 1) \cdot R_4} = 19.9 \text{ }\mu\text{A}$$

y

$$I_{C1} = \beta \cdot I_{B1} = 3.98 \text{ mA}$$

Por otro lado, de la malla de salida se deduce que

$$V_{CC} - I_{C1} \cdot R_3 - V_{CE1} - I_{C1} \cdot R_4 = 0$$

$$V_{CE1} = V_{CC} - I_{C1} \cdot (R_3 + R_4) = 7.26 \text{ V}$$

- Etapa 2

La tensión e impedancia Thévenin equivalentes vienen dadas por

$$V_{Th2} = \frac{R_6}{R_5 + R_6} \cdot V_{CC} = 4.77 \text{ V}$$

$$R_{Th2} = R_5 \parallel R_6 = 3.58 \text{ k}\Omega$$

De la malla de entrada se deduce que,

$$V_{Th2} - I_{B2} \cdot R_{Th2} - V_{BE2} - I_{E2} \cdot R_8 = 0$$

$$V_{Th2} - I_{B2} \cdot R_{Th2} - V_{BE2} - (\beta+1) \cdot I_{B2} \cdot R_8 = 0$$

de donde

$$I_{B2} = \frac{V_{Th2} - V_{BE2}}{R_{Th2} + (\beta+1) \cdot R_8} = 19.9 \text{ μA}$$

y

$$I_{C2} = \beta \cdot I_{B2} = 3.98 \text{ mA}$$

Por otro lado, de la malla de salida se deduce que

$$V_{CC} - I_{C2} \cdot R_7 - V_{CE2} - I_{C2} \cdot R_8 = 0$$

$$V_{CE2} = V_{CC} - I_{C2} \cdot (R_7 + R_8) = 7.26 \text{ V}$$

Por lo tanto, el punto de polarización de ambas etapas es el siguiente:

$$Q1 \begin{cases} I_{B1} = 19.9\ \mu A \\ V_{CE1} = 7.26\ V \\ I_{C1} = 3.98\ mA \end{cases} \qquad Q2 \begin{cases} I_{B2} = 19.9\ \mu A \\ V_{CE2} = 7.26\ V \\ I_{C2} = 3.98\ mA \end{cases}$$

b) El circuito equivalente de pequeña señal en alterna es el siguiente

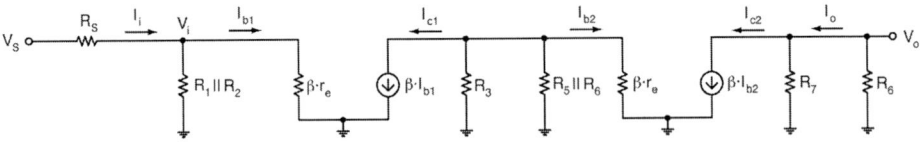

- Ganancia en tensión

La tensión e impedancia Thévenin equivalentes de la entrada vienen dadas por

$$V_{Th} = V_i = \frac{R_1 \| R_2}{R_S + R_1 \| R_2} \cdot V_S = 0.62 \cdot V_S$$

$$R_{Th} = (R_1 \| R_2) \| R_S = 1.36\ k\Omega$$

Por otro lado, analizando las diferentes mallas del circuito equivalente, se obtinenen las siguientes ecuaciones para la malla de entrada

$$V_i - I_{b1} \cdot R_{Th} - I_{b1} \cdot \beta \cdot r_e = 0$$

$$V_i = I_{b1} \cdot (R_{Th} + \beta \cdot r_e) \tag{1}$$

para la malla intermedia

$$-\beta \cdot I_{b1} \cdot \left[R_3 \| \left(R_5 \| R_6\right)\| \beta \cdot r_e\right] = I_{b2} \cdot \beta \cdot r_e \tag{2}$$

y para la malla de salida

$$V_o = -\beta \cdot I_{b2} \cdot \left(R_7 \| R_L\right) \tag{3}$$

A partir de las ecuaciones (1), (2) y (3) se puede deducir fácilmente la expresión correspondiente a la ganancia en tensión.

$$A_V = \frac{V_o}{V_S} = \frac{V_o}{I_{b2}} \cdot \frac{I_{b2}}{I_{b1}} \cdot \frac{I_{b1}}{V_i} \cdot \frac{V_i}{V_S}$$

$$A_V = \left[-\beta \cdot \left(R_7 \| R_L\right)\right] \cdot \left[\frac{-\beta \cdot \left(R_3 \| R_5 \| R_6 \| \beta \cdot r_e\right)}{\beta \cdot r_e}\right] \cdot \left[\frac{1}{R_{Th} + \beta \cdot r_e}\right] \cdot \left[\frac{R_1 \| R_2}{R_S + R_1 \| R_2}\right]$$

$$A_V = 180$$

- Para calcular la impedancia de entrada Z_i se tiene en cuenta la malla de entrada, pero sin considerar la resistencia R_S

$$Z_i = \frac{V_i}{I_i} = \left(R_1 \| R_2\right)\| \beta \cdot r_e = 2.6 \text{ k}\Omega$$

- La impedancia de salida Z_o viene determinada por

$$Z_o = \left.\frac{V_o}{I_o}\right|_{Vs=0V}$$

donde no se considera la resistencia R_L. Por tanto, se tiene

$$Z_o = R_7 = 2.2 \text{ k}\Omega$$

- Ganancia en corriente

Analizando las diferentes mallas del circuito equivalente, se obtienen las siguientes ecuaciones para la malla de entrada

$$I_{b1} = \frac{R_1 \parallel R_2}{R_1 \parallel R_2 + \beta \cdot r_e} \cdot I_i \tag{4}$$

para la malla intermedia

$$-\beta \cdot I_{b1} \cdot \left[R_3 \parallel \left(R_5 \parallel R_6 \right) \parallel \beta \cdot r_e \right] = I_{b2} \cdot \beta \cdot r_e \tag{5}$$

y para la malla de salida

$$I_o = \frac{R_7}{R_7 + R_L} \cdot \beta \cdot I_{b2} \tag{6}$$

A partir de las ecuaciones (4), (5) y (6) se puede deducir fácilmente la expresión correspondiente a la ganancia en corriente.

$$A_i = \frac{I_o}{I_i} = \frac{I_o}{I_{b2}} \cdot \frac{I_{b2}}{I_{b1}} \cdot \frac{I_{b1}}{I_i}$$

$$A_i = \left[\frac{R_7}{R_7 + R_L} \cdot \beta \right] \cdot \left[\frac{-\beta \cdot \left(R_3 \parallel R_5 \parallel R_6 \parallel \beta \cdot r_e \right)}{\beta \cdot r_e} \right] \cdot \left[\frac{R_1 \parallel R_2}{\beta \cdot r_e + R_1 \parallel R_2} \right]$$

$$A_V = 870$$

c) Las frecuencias de corte asociadas a los condensadores de entrada y salida vienen determinadas por las siguientes expresiones

$$f_{CS} = \frac{1}{2 \cdot \pi \cdot C_S \cdot \left(R_S + Z_i \right)} = 3.3 \ \text{kHz}$$

$$f_{Co} = \frac{1}{2 \cdot \pi \cdot C_o \cdot \left(Z_o + R_L \right)} = 5 \ \text{kHz}$$

Por otro lado, la frecuencia de corte asociada al condensador de acopla-miento, C, viene determinada por

$$f_C = \frac{1}{2 \cdot \pi \cdot C \cdot \left(Z_{i2} + Z_{o1}\right)} = 2.6 \text{ kHz}$$

donde, $Z_{o1} = R_3$ y $Z_{i2} = (R_5 \| R_6) \| \beta \cdot r_e$.

A partir de estos resultados, se deduce que la frecuencia de corte del circuito amplificador viene dada por la mayor de estas tres frecuencias de corte, o sea, 5 kHz.

Problema 10

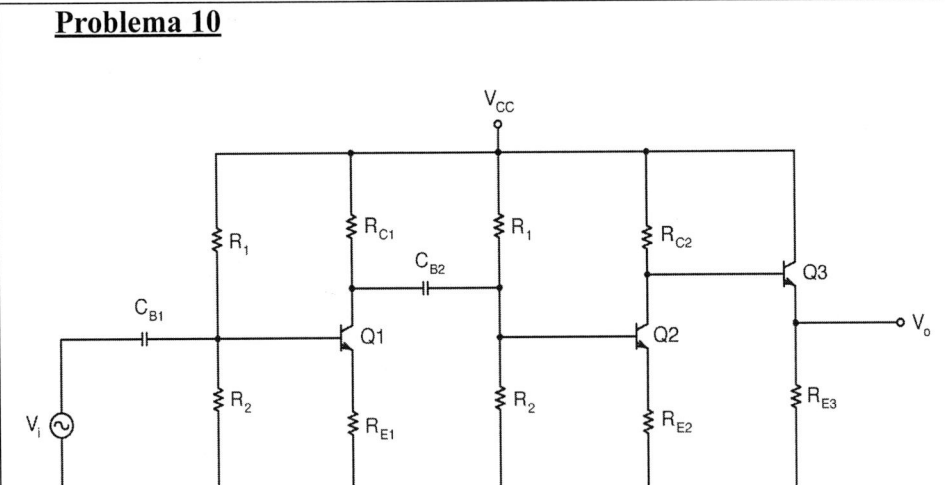

Diseñar el amplificador de la siguiente figura de forma que tenga una ganancia de 50 y una frecuencia inferior de corte de 40 Hz. Suponer β > 100 y $V_{BE} = 0$ V. A la hora de diseñar, fijar arbitrariamente los valores de I_{C1}, I_{C2}, I_{C3}, I_{D1}, I_{D2} V_{E1}, V_{E2}, V_{C1}, V_{C2} y las ganancias de las dos primeras etapas.

Diseño:

$$1.^a \, etapa \quad \Rightarrow \quad A_V = -10$$
$$2.^a \, etapa \quad \Rightarrow \quad A_V = -5$$
$$3.^a \, etapa \quad \Rightarrow \quad A_V = 1$$

Con ello fijamos:

$$Q1 \begin{cases} V_{E1} = 1\,\text{V} \\ V_{C1} = 10\,\text{V} \\ I_{C1} = 10\,\text{mA} \end{cases}$$

$$Q2 \begin{cases} V_{E2} = 2\,\text{V} \\ V_{C2} = 10\,\text{V} \\ I_{C2} = 1\,\text{mA} \end{cases}$$

$$Q3 \{ I_{C3} = 1\,\text{mA}$$

$$\begin{cases} I_{D1} = 1\,\text{mA} \quad (\text{I}_{C1}/10) \\ I_{D2} = 0.1\,\text{mA} \quad (\text{I}_{C2}/10) \end{cases}$$

A partir de estos valores se obtiene

$$R_1 = 19\,\text{k}\Omega \quad R_3 = 180\,\text{k}\Omega \quad R_{E3} = 10\,\text{k}\Omega$$
$$R_2 = 1\,\text{k}\Omega \quad R_4 = 20\,\text{k}\Omega$$
$$R_{E1} = 100\,\Omega \quad R_{E2} = 2\,\text{k}\Omega$$
$$R_{C1} = 1\,\text{k}\Omega \quad R_{C2} = 10\,\text{k}\Omega$$

Las ganancias de las dos primeras etapas son, como puede comprobarse

$$A_{V1} = -\frac{R_{C1}}{R_{E1}} = -10 \quad y \quad A_{V2} = -\frac{R_{C2}}{R_{E2}} = -5$$

El condensador C_{B1} fijará la frecuencia de corte y la frecuencia propia de C_{B2} la establecemos en $\omega_1' = 2\pi \cdot 4$. Por tanto,

$$\frac{1}{C_{B1} \cdot \omega_1} = R_1 \| R_2 \| (\beta + 1) \cdot R_{E1} \quad \Rightarrow \quad C_{B1} = 4.57\,\mu\text{F}$$

y

$$\frac{1}{C_{B2} \cdot \omega_1'} = R_3 \parallel R_4 \parallel (\beta + 1) \cdot R_{E2} \quad \Rightarrow \quad C_{B2} = 2.21\,\mu F$$

Problema 11

Dado el siguiente circuito

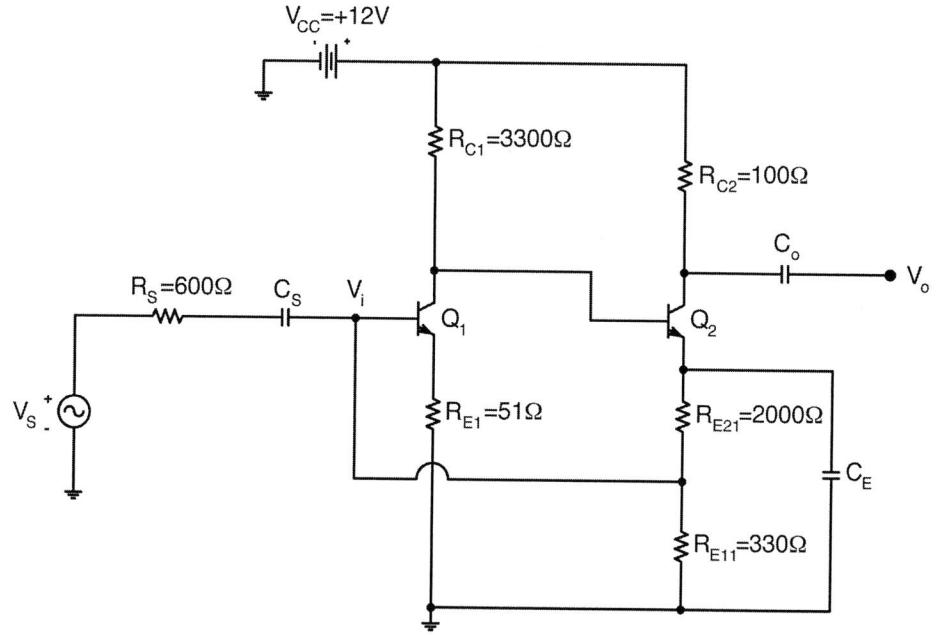

a) *Determinar el punto de reposo para cada uno de los transistores.*

b) *Calcular la ganancia del amplificador V_o/V_i.*

c) *Calcular la impedancia de entrada del amplificador multietapa.*

d) *Calcular el valor de la relación V_o/V_S.*

e) *Calcular la frecuencia de corte asociada a los condensadores C_S y C_o.*

Datos: $h_{ie} = 3300\ \Omega$, $h_{fe} = 180$, $C_S = 1\mu F$

a) Del circuito, suponiendo $I_{B1} \ll$, se desprenden las siguientes ecuaciones

$$V_{B1} = \frac{R_{E11}}{R_{E21} + R_{E11}} \cdot V_{E2} = 0.142 \cdot V_{E2}$$

$$V_{E1} = V_{B1} - V_{BE} = 0.142 \cdot V_{E2} - 0.7 \qquad (1)$$

$$I_{E1} = \frac{V_{E1}}{R_{E1}} \approx I_{C1} \quad \Rightarrow \quad I_{E1} = 2.784 \cdot 10^{-3} \cdot V_{E2} - 13.725 \cdot 10^{-3}$$

Ahora, suponiendo $I_{B2} \ll$, se puede decir que $I_{RC1} \approx I_{C1}$ y, por lo tanto,

$$V_{CC} - I_{C1} \cdot R_{C1} - V_{CE1} - I_{C1} \cdot R_{E1} = 0$$

$$V_{CE1} = V_{CC} - I_{C1} \cdot \left(R_{C1} + R_{E1} \right)$$

Por otro lado,

$$V_{C1} = V_{CC} - I_{C1} \cdot R_{C1} = 12 - 9.188 \cdot V_{E2} + 45.293$$

$$V_{C1} = 57.293 - 9.188 \cdot V_{E2} \qquad (2)$$

Entonces, sabiendo además que

$$V_{C1} - 0.7 = V_{E2} \qquad (3)$$

se obtiene que

$$V_{E2} + 0.7 = 57.293 - 9.188 \cdot V_{E2}$$

de donde

$$V_{E2} = 5.56 \text{ V}$$

y utilizando (1), (2) y (3) se obtiene

$$I_{C1} = 1.74 \text{ mA}$$

de donde

$$V_{CE1} = V_{C1} - V_{E1} = 6.17\,\text{V}$$

Por otro lado, se puede suponer que

$$I_{C2} \approx I_{E2} = \frac{V_{E2}}{R_{E21} + R_{E11}} = 2.38\,\text{mA}$$

Y finalmente

$$V_{CC} - I_{C2} \cdot R_{C2} - V_{CE2} - V_{E2} = 0$$

$$V_{CE2} = V_{CC} - I_{C2} \cdot R_{C2} - V_{E2} = 6.21\,\text{V}$$

Con lo cual, a modo de resumen, los puntos Q de funcionamiento para ambos transistores serán

$$\left.\begin{array}{l} I_{C1} = 1.74\,\text{mA} \\ V_{CE1} = 6.17\,\text{V} \end{array}\right\} \quad \text{Q1}$$

$$\left.\begin{array}{l} I_{C2} = 2.38\,\text{mA} \\ V_{CE2} = 6.21\,\text{V} \end{array}\right\} \quad \text{Q2}$$

b) El circuito equivalente de pequeña señal viene dado como

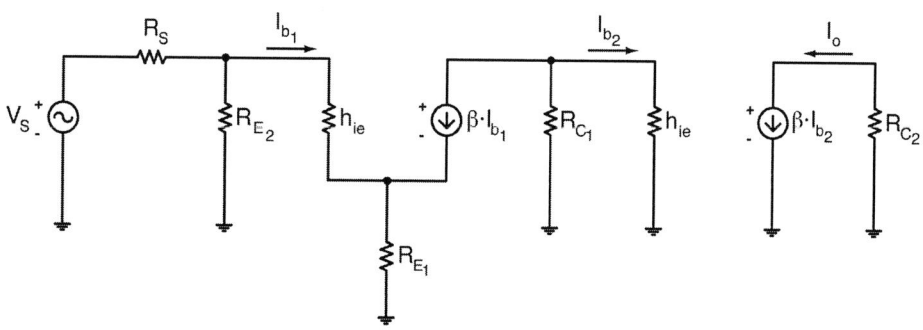

con $R_{E_2} = R_{E_{11}} \| R_{E_{21}}$

De la malla de entrada se desprende que

$$V_i = I_{b1} \cdot \left[h_{ie} + (1 + \beta) \cdot R_{E1} \right]$$

$$V_i = 12531 \cdot I_{b1}$$

de la malla intermedia

$$I_{b2} \cdot h_{ie} = -\beta \cdot I_{b1} \cdot \left(R_{C1} \parallel h_{ie} \right)$$

$$I_{b2} \cdot 3300 = -297000 \cdot I_{b1}$$

$$I_{b2} = -90 \cdot I_{b1}$$

y de la malla de salida

$$V_o = -\beta \cdot I_{b2} \cdot R_{C2} = -18000 \cdot I_{b2}$$

Por lo tanto, la ganancia del amplificador viene dada por

$$A_V = \frac{V_o}{V_i} = \frac{V_o}{I_{b2}} \cdot \frac{I_{b2}}{I_{b1}} \cdot \frac{I_{b1}}{V_i} = -18000 \cdot (-90) \cdot \frac{1}{12531} = 129.28$$

c) La impedancia de entrada del amplificador multietapa se calcula de la siguiente manera

$$Z_i' = \frac{V_i}{I_{b1}} = h_{ie} + (1 + \beta) \cdot R_{E1} = 12531\,\Omega$$

$$Z_i = R_{E2} \parallel Z_i' = 277\,\Omega$$

d) Observando la siguiente figura

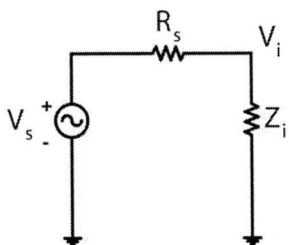

se deduce que

$$V_i = \frac{Z_i}{R_S + Z_i} \cdot V_S \quad y \quad V_i = \frac{V_o}{A_V}$$

de donde

$$\frac{V_o}{V_S} = \frac{Z_i}{R_S + Z_i} \cdot A_V = 40.83$$

e) La frecuencia de corte asociada a C_S se calcula como

$$f_S = \frac{1}{2 \cdot \pi \cdot C_S \cdot (R_S + Z_i)} = 181.48\,\text{Hz}$$

En cuanto a C_o está en el aire. Si se conecta a una resistencia de carga, entonces

$$f_o = \frac{1}{2 \cdot \pi \cdot C_o \cdot (R_L + Z_o)} = \frac{1}{2 \cdot \pi \cdot C_o \cdot (R_{C2} + R_L)}$$

AMPLIFICADORES DE POTENCIA

Problema 1

Sabiendo que el amplificador de potencia en clase A de la siguiente figura entrega a la carga R_L una potencia $P_L = 2\,\mathrm{W}$, calcular:

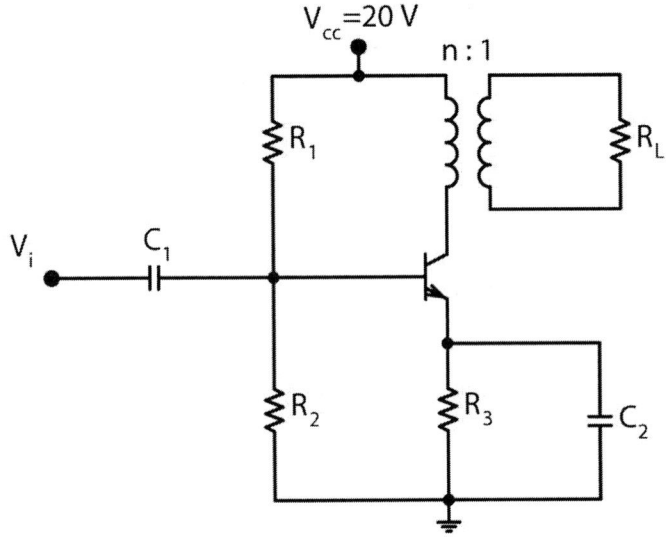

a) La potencia de la fuente, P_{CC}.

b) La corriente I_{CQ} para que el transistor trabaje en clase A.

c) Las características del transistor a elegir: $I_{C(\max)}$, $V_{CE(\max)}$ y $P_{C(\max)}$.

d) Si $R_L = 6.25\,\Omega$, calcular n.

e) Diseñar el circuito suponiendo que $V_E = 0.2\,\mathrm{V}$ y $I_{R1} \approx I_{R2} = {I_C}/{10}$

Datos: $V_{BE} = 0.7\,\mathrm{V}$

a) El rendimiento teórico de un amplificador en clase A es el 50 %. Por tanto, el valor máximo teórico de la potencia que debe poder suministrar la fuente de alimentación es

$$P_{CC} = 4 \text{ W}$$

b) La máxima potencia P_L que puede entregarse a la carga vale

$$P_L = \frac{I_{CQ}^2 \cdot R_L'}{2}$$

donde $R_L' = n^2 \cdot R_L$

Como el transistor trabaja en clase A se tiene

$$I_{CQ} = \frac{V_{CC}}{R_L'}$$

en consecuencia

$$P_L = \frac{V_C^2}{2 \cdot R_L'}$$

de donde

$$R_L' = 100 \, \Omega \quad e \quad I_Q = 0.2 \text{ A}$$

c) Con ayuda de los apartados anteriores se deduce que las características del transistor a elegir son

$$I_{C\max} \geq 2 \cdot I_{CQ} = 0.4 \text{ A}$$
$$V_{CE\max} \geq 2 \cdot V_{CC} = 40 \text{ V}$$

$$P_{C\,max} \geq P_{CC} = 4 \ \text{W}$$

d) Como se sabe que $R'_L = n^2 \cdot R_L$, esto implica que $n = 4$.

e) Eligiendo $V_E = 0.2$ V se tiene

$$R_3 = \frac{V_E}{I_E} \approx \frac{0.2}{0.2} = 1 \ \Omega$$

Por otro lado, la tensión en la base será:

$$V_B = V_E + V_{BE} = 0.2 + 0.7 = 0.9 \ V$$

y suponiendo que $I_D = I_{R1} = I_{R2}$

$$I_D = \frac{I_C}{10} = 0.02 \ \text{A}$$

se obtiene

$$R_1 = \frac{V_{CC} - V_B}{I_D} = 955 \ \Omega$$

y

$$R_2 = \frac{V_B}{I_D} = 45 \ \Omega$$

Problema 2

Para el siguiente circuito calcular la potencia proporcionada por la fuente, la potencia consumida en la carga, la potencia manejada por cada transistor de salida y la eficiencia de conversión de potencia del circuito.

Datos: $V_{i(rms)} = 12$ V (señal sinusoidal), $V_{CC} = 25$ V, $R = 100$ Ω, $C = 100$ μF y $R_L = 4$ Ω.

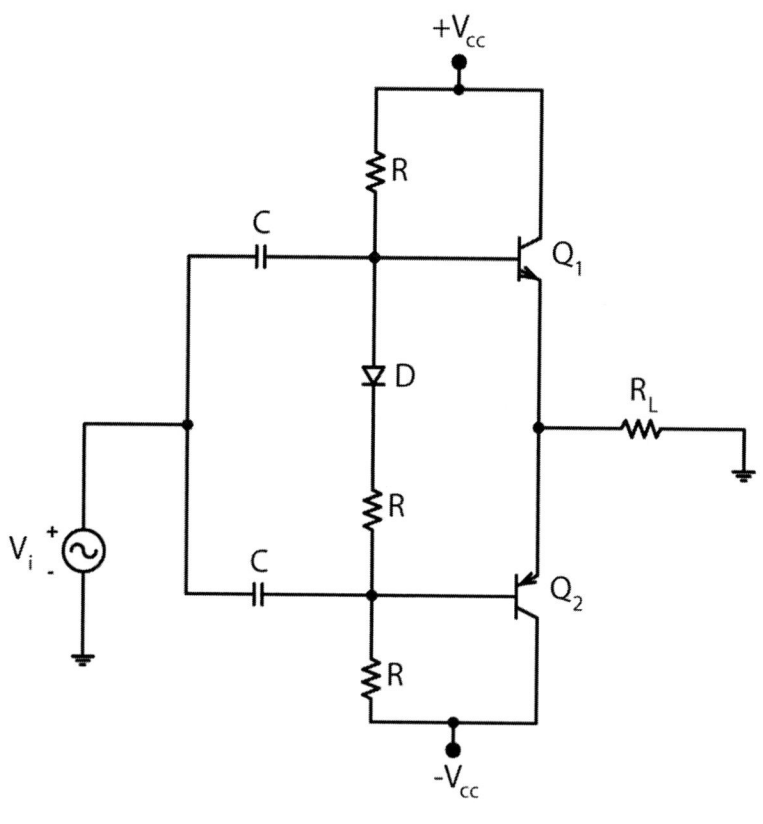

El voltaje de entrada de pico es

$$V_{i(p)} = \sqrt{2} \cdot V_{i(rms)} = \sqrt{2} \cdot 12 = 17 \text{ V}$$

Dado que tanto Q1 como Q2 funcionan en modo de emisor-seguidor, se tiene que la ganancia es aproximadamente igual a la unidad. Por tanto, la tensión a través de la carga es idealmente la misma que la de la señal de entrada, esto es

$$V_{L(p)} = 17 \text{ V}$$

En este caso, la potencia consumida en la carga es

$$P_L = \frac{V_{L(p)}^2}{2 \cdot R_L} = \frac{(17)^2}{2 \cdot 4} = 36.13 \text{ W}$$

y la corriente de pico en la carga es

$$I_{L(p)} = \frac{V_{L(p)}}{R_L} = \frac{17}{4} = 4.25 \text{ A}$$

A partir de este parámetro se puede calcular la corriente promedio de continua suministrada por la fuente como

$$I_{DC} = \frac{1}{T} \int_0^T i(\omega t) \, d(\omega t) \text{ A}$$

Suponiendo una señal sinusoidal del tipo $i(\omega t) = I_{L(p)} \cdot \sin(\omega t)$, entonces se tiene:

$$I_{DC} = \frac{I_{L(p)}}{\pi} = 2.71 \text{ A}$$

con lo cual la potencia proporcionada al circuito en un ciclo completo de la señal es

$$P_{Fuente} = 2 \cdot V_{CC} \cdot I_{DC} = 67.75 \ W$$

y la potencia disipada por cada transistor es

$$P_Q = \frac{P_{2Q}}{2} = \frac{P_{Fuente} - P_L}{2} = \frac{67.75 - 36.13}{2} = 15.8 \ W$$

Por último, la eficiencia de conversión de potencia es

$$\eta = \frac{P_L}{P_{Fuente}} \cdot 100\% = \frac{36.13}{67.75} \cdot 100\% = 53.3\%$$

Problema 3

Para el siguiente amplificador de potencia en clase A determinar:

a) Las condiciones de reposo de los transistores Q1 y Q3.

b) La máxima potencia entregada a la carga.

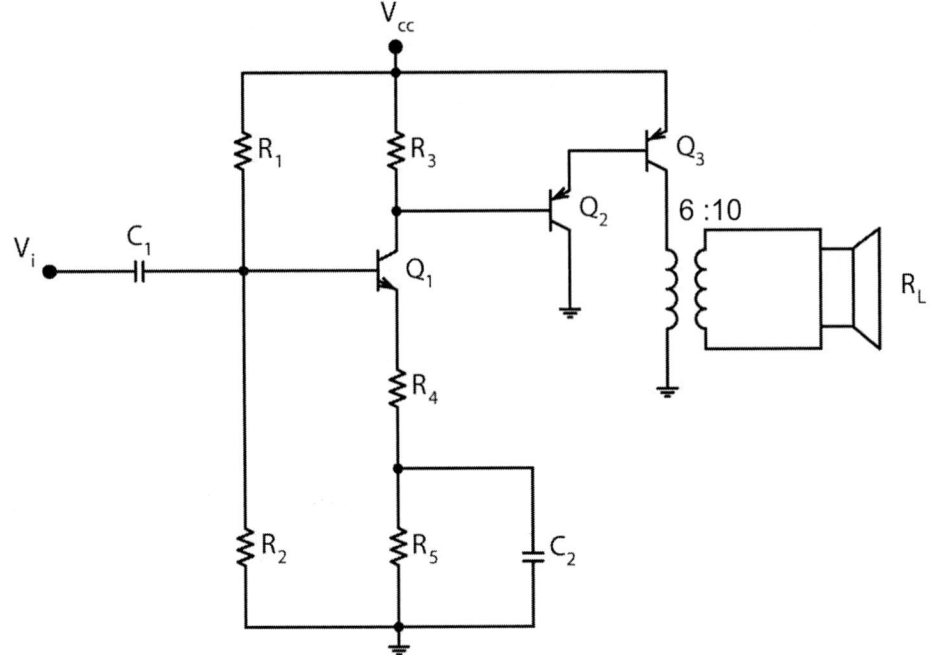

Datos: $R_1 = 33\,\text{k}\Omega$, $R_2 = 27\,\text{k}\Omega$, $R_3 = 2.2\,\text{k}\Omega$, $R_4 = 270\,\Omega$, $R_5 = 2.7\,\text{k}\Omega$,

$C_1 = 10\,\mu\text{F}$, $C_2 = 50\,\mu\text{F}$, $V_{CC} = 12\,\text{V}$, $R_L = 8\,\Omega$, $\beta = 110$, $V_{BE1} = 0,7\,\text{V}$,

$V_{BE2} = V_{BE3} = 1.35\,\text{V}$.

a) Suponiendo $I_{B1} << I_{R1}, I_{R2}$, entonces se desprende que

$$V_{B1} = \frac{V_{CC}}{R_1 + R_2} \cdot R_2 = 5.4 \text{ V}$$

de donde

$$V_{E1} = 4.7 \text{ V}$$

y

$$V_{C1} = V_{CC} - V_{BE3} - V_{BE2} = 9.3 \text{ V}$$

Entonces, las intensidades por cada una de las resistencias vendrán determinadas como:

$$I_{(R4,R5)} = \frac{V_{E1}}{R_4 + R_5} = \frac{4.7}{270 + 2700} = 1.58 \text{ mA}$$

$$I_{R3} = \frac{V_{CC} - V_{C1}}{R_3} = \frac{12 - 9.3}{2200} = 1.23 \text{ mA}$$

y las condiciones de reposo de los transistores Q1 y Q3 serán, respectivamente,

$$Q1 \begin{cases} I_{C1} = 1.58 \quad \text{mA} \\ V_{CE1} = 4.6 \text{ V} \end{cases}$$

$$Q3 \begin{cases} I_{C3} = \dfrac{V_{CC}}{R_L'} = \dfrac{12}{0.6^2 \cdot 8} = 4.17 \text{ A} \\ \\ V_{CE3} = V_{CC} = 12 \quad \text{V} \end{cases}$$

b) Con lo cual, la máxima corriente que circula por la carga es:

$$I_{c(\max)} = I_{CQ3}$$

y la potencia entregada a la carga es

$$P_L = \frac{1}{2} \cdot I_{c(\max)}^2 \cdot R_L^{'} = 25 \ \text{W}$$

Problema 4

La siguiente etapa de potencia está diseñada para proporcionar una potencia mínima de 50 W sobre una carga de 8 Ω. Determinar la potencia mínima que deberá proporcionar la fuente de alimentación.

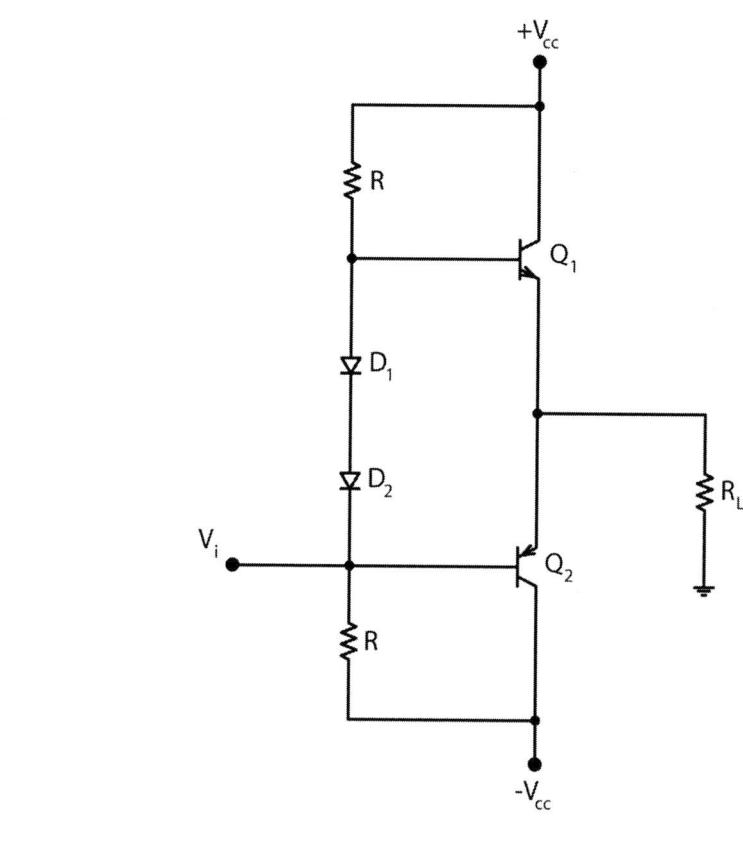

Teniendo en cuenta la expresión con la que se obtiene la potencia en la carga:

$$P_{R_L} = \frac{1}{2} \cdot I^2_{c(max)} \cdot R_L = \frac{1}{2} \cdot \frac{V^2_{o(p)}}{R_L}$$

se pueden obtener la corriente y la tensión aplicada a la carga:

$$I_{c(\text{max})} = \sqrt{\frac{2 \cdot P_{R_L}}{R_L}} = 3.5 \, \text{A}$$

$$V_{o(p)} = \sqrt{2 \cdot P_{R_L} \cdot R_L} = 28.28 \, \text{V}$$

Se trata de un amplificador de potencia en clase AB, con lo cual la tensión aplicada a la carga será menor que la tensión de la fuente.

$$V_{o(p)} = \mu \cdot V_{CC} \quad con \quad 0 \le \mu \le 1$$

En el caso límite, la mínima tensión de la fuente posible deberá ser:

$$V_{CC} = 28.28 \, \text{V} \quad para \quad \mu = 1$$

Por otro lado, la corriente de continua aplicada a cada uno de los transistores está relacionada con la corriente máxima aplicada a la carga a través de la siguiente relación:

$$I_{DC} = \frac{I_{c(\text{max})}}{\pi}$$

De esta forma, la potencia que deberá proporcionar a cada uno de los transistores será:

$$P_{Fuente\,Q1} = P_{Fuente\,Q2} = \frac{V_{CC} \cdot I_{DC}}{\pi}$$

Y con lo cual la potencia mínima total que deberá proporcionar la fuente de alimentación es:

$$P_{Fuente\,total} = \frac{2 \cdot V_{CC} \cdot I_{DC}}{\pi} = 63 \, \text{W}$$

Problema 5

Sobre el siguiente circuito, calcular:

a) Punto de trabajo del transistor Q_1.

b) Ganancia de tensión de la primera etapa y del circuito completo.

c) La potencia consumida en R_L.

d) La potencia proporcionada por la fuente.

c) La potencia consumida por cada uno de los transistores.

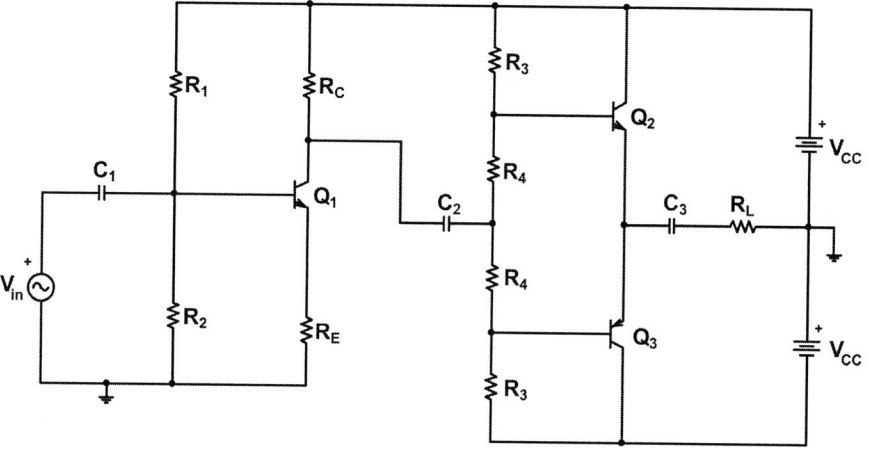

Datos:

$V_{in} = 0.5 \cdot \sin(200 \cdot \pi \cdot t)$ V

$C_1 = 100\,\mu F$

$R_1 = 900\ \Omega$

$R_2 = 100\ \Omega$

$R_C = 1200\ \Omega$

$R_E = 300\ \Omega$

$\beta = 200$

$V_{BE} = 0.7$ V

$V_{CC} = 20$ V

$C_2 = 1\ \mu F$

$R_3 = 27\ k\Omega$

$R_4 = 2\ k\Omega$

$C_3 = 3300\,\mu F$

$R_L = 8\ \Omega$

$r_e = 5\ \Omega$

a)

En primer lugar se calcula el equivalente Thévenin de V_{in}, R_1 y R_2:

$$R_{Th} = R_1 \parallel R_2 = 900 \parallel 100 = 90 \ \Omega$$

$$V_{Th} = \frac{V_{CC}}{R_1 + R_2} \cdot R_2 = 2 \ V$$

A partir de ahí, se analiza la malla base-emisor:

$$V_{Th} - I_B \cdot R_{Th} - V_{BE_1} - I_E \cdot R_E = 0$$

de donde

$$I_B = \frac{V_{Th} - V_{BE_1}}{R_{Th} + (1 + \beta) \cdot R_E} = 2.15 \cdot 10^{-5} \ A$$

e

$$I_C = \beta \cdot I_B = 4.31 \ mA$$

La recta de carga viene determinada por:

$$V_{CC} - I_C \cdot R_C - V_{CE} - I_E \cdot R_E = 0$$

$$V_{CE} \approx V_{CC} - I_C \cdot (R_C + R_E) = 13.54 \ V \quad (\approx clase \ A)$$

b)

La etapa de salida es una configuración en simetría complementaria donde los transistores Q2 y Q3 están funcionando en clase AB. Durante el semiciclo positivo, Q2 está en conducción mientras que Q3 está en corte. Por el contrario, durante el semiciclo negativo, Q2 está en corte mientras que Q3 está en conducción. Por tanto, Q2 y Q3 estarán en conducción de forma alternada.

Para el análisis en alterna, se considerará uno de los semiciclos, por ejemplo el semiciclo positivo en el cual Q2 está en conducción y Q3 en corte. Los mismos resultados se obtendrían en caso de considerar el semiciclo negativo.

Con estas consideraciones, el circuito equivalente de pequeña señal en alterna es el siguiente:

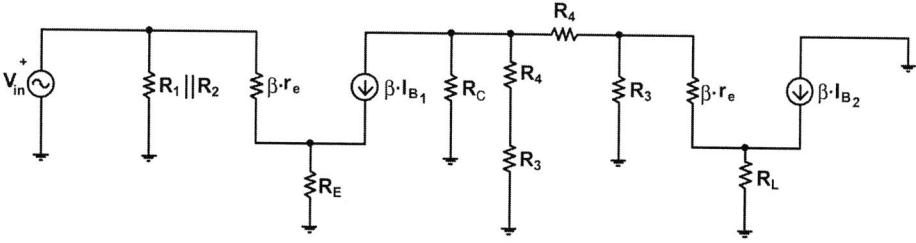

De donde se deducen las siguientes ecuaciones para la etapa de entrada:

$$V_i = I_{b1} \cdot \left[\beta \cdot r_e + (1 + \beta) \cdot R_E\right]$$

$$V_i = 61300 \cdot I_{b1}$$

para la etapa intermedia

$$I_{b2} = \frac{R_3}{R_3 + Z_{B2}} \cdot I_{R4} \quad \text{con} \quad Z_{B2} = \beta \cdot r_e + (\beta + 1) \cdot R_L$$

$$I_{b2} = 0.91 \cdot I_{R4}$$

$$I_{R4} = \frac{R_C \parallel (R_4 + R_3)}{R_C \parallel (R_4 + R_3) + (R_4 + Z_1)} \cdot (-\beta \cdot I_{b1})$$

$$\text{con} \quad Z_1 = R_3 \parallel \left(\beta \cdot r_e + (\beta + 1) \cdot R_L\right)$$

$$I_{R4} = -42 \cdot I_{b1}$$

y

$$V_A = I_{R4} \cdot (R_4 + Z_1)$$

$$V_A = 4378 \cdot I_{R4}$$

y para la etapa de salida

$$V_o = R_L \cdot (1 + \beta) \cdot I_{b2}$$
$$V_o = 1608 \cdot I_{b2}$$

A partir de las ecuaciones anteriores, se deduce la ganancia de la primera etapa como:

$$\frac{V_A}{V_i} = \frac{V_A}{I_{R4}} \cdot \frac{I_{R4}}{I_{b1}} \cdot \frac{I_{b1}}{V_i} = 4378 \cdot (-42) \cdot \frac{1}{61300} = -3$$

Y la ganancia del circuito total como:

$$A_V = \frac{V_o}{V_i} = \frac{V_o}{I_{b2}} \cdot \frac{I_{b2}}{I_{R4}} \cdot \frac{I_{R4}}{I_{b1}} \cdot \frac{I_{b1}}{V_i} = (1608) \cdot (0.91) \cdot (-42) \cdot \frac{1}{61300}$$

$$A_V = -1$$

c)

A partir del apartado anterior, la tensión en la carga se obtiene como:

$$V_o = A_V \cdot V_i$$

$$V_o = (-1) \cdot 0.5 \cdot \sin(200 \cdot \pi \cdot t) = (-0.5) \cdot \sin(200 \cdot \pi \cdot t)$$

y la corriente en la carga:

$$I_o = \frac{V_o}{R_L} = -0.06 \cdot \sin(200 \cdot \pi \cdot t)$$

La potencia consumida en la carga es, por lo tanto:

$$P_L = \frac{1}{2} \cdot V_{o(p)} \cdot I_{o(p)} = 0.02 \text{ W}$$

d)

La potencia proporcionada por la fuente para la primera etapa es:

$$P_{Fuente(1.^a etapa)} = V_{CC} \cdot I_{CQ} = 0.13 \text{ W}$$

mientras que la potencia proporcionada por la fuente para la etapa de salida es:

$$P_{Fuente(2.^a etapa)} = \frac{2}{\pi} \cdot V_{CC} \cdot I_{o(p)} = 0.76 \text{ W}$$

Por tanto, la potencia suministrada por la fuente de tensión es:

$$P_{Fuente} = P_{Fuente(1.^a etapa)} + P_{Fuente(2.^a etapa)} = 0.89 \text{ W}$$

e)

La potencia consumida en cada uno de los transistores de la etapa de salida, Q2 y Q3, es:

$$P_{Q_2} = P_{Q_3} = \frac{P_{Fuente(2.^a etapa)} - P_L}{2} = 0.37 \text{ W}$$

Y la potencia consumida en el transistor Q1 es:

$$P_{Q1} = V_{CE} \cdot I_{CQ} = 0.07 \text{ W}$$

Problema 6

Calcular la potencia disipada por cada uno de los transistores de este circuito. Suponer los siguientes valores: $V_{i(rms)}$ = 10 V, V_{CC} = 20 V, R = 200 Ω, C = 150 μF y R_L = 8 Ω.

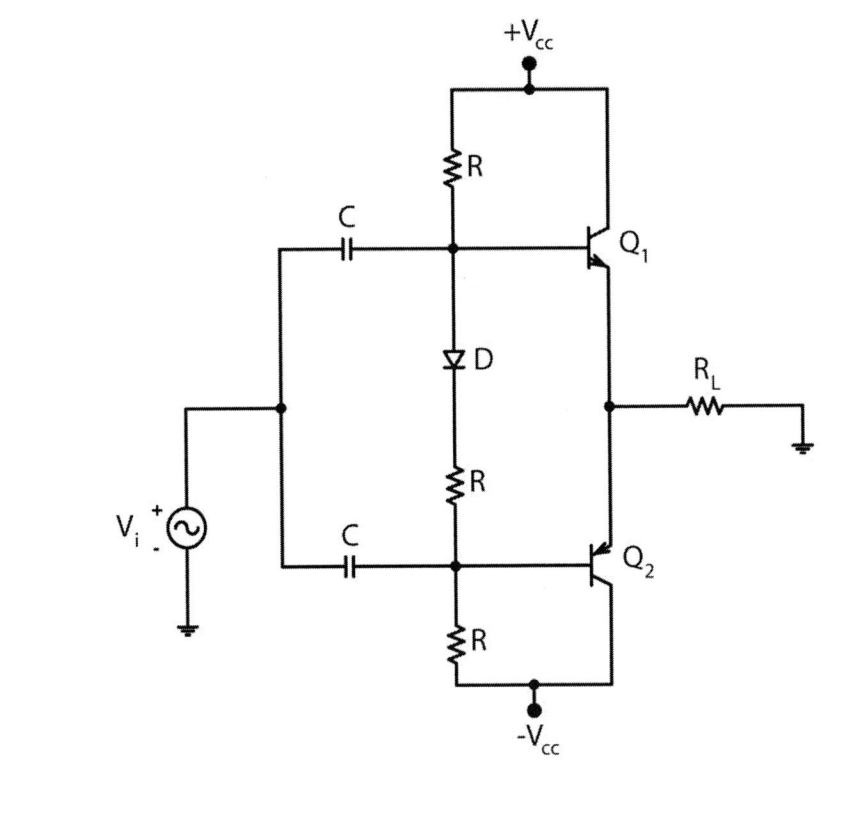

El voltaje de entrada de pico es:

$$V_{i(p)} = \sqrt{2} \cdot V_{i(rms)} = 14\,\text{V}$$

La tensión de alterna a través de la carga es idealmente la misma que la tensión de entrada, pues los transistores Q1 y Q2 están en configuración de emisor-seguidor. Por tanto:

$$V_{L(p)} = 14\,\text{V}$$

La potencia consumida en la carga es:

$$P_L = \frac{1}{2} \cdot \frac{V_{L(p)}^2}{R_L} = \frac{(14)^2}{2 \cdot 8} = 12.25 \text{ W}$$

La corriente de pico en la carga es:

$$I_{L(p)} = \frac{V_{L(p)}}{R_L} = \frac{14}{8} = 1.75 \text{ A}$$

A partir de esta corriente se puede calcular la corriente promedio suministrada por cada una de las fuentes de alimentación como:

$$I_{DC} = \frac{I_{L(p)}}{\pi} = 0.56 \text{ A}$$

Con lo cual la potencia proporcionada al circuito por las dos fuentes de tensión es:

$$P_{Fuente} = 2 \cdot V_{CC} \cdot I_{DC} = 22.28 \text{W}$$

Finalmente, la potencia disipada en cada uno de los transistores es:

$$P_{Q1} = P_{Q2} = \frac{P_{Fuente} - P_L}{2} = 5.02 \text{ W}$$

Problema 7

Dado el siguiente circuito:

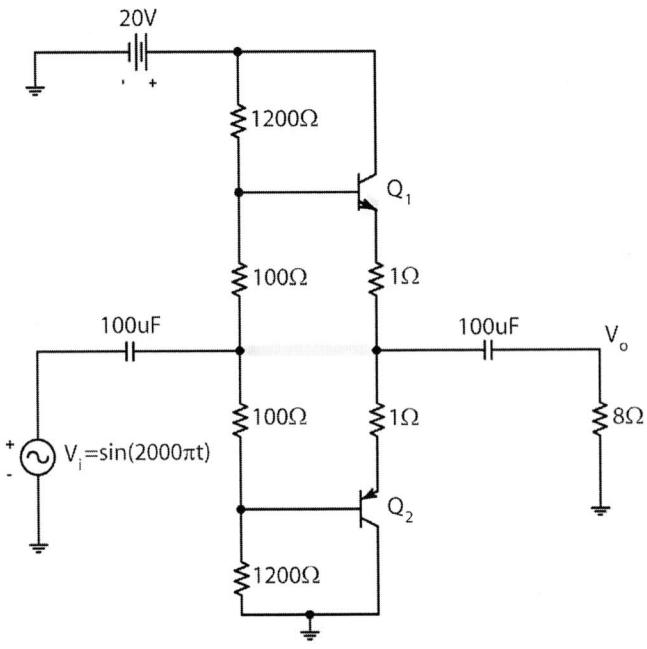

a) Calcular el punto de reposo (I_{CQ}, V_{CEQ}) del transistor Q1.

b) Calcular la potencia entregada por la fuente de tensión continua.

c) Calcular la potencia entregada a la carga.

d) Calcular la potencia consumida por cada uno de los transistores, suponiendo que la potencia consumida en las resistencias de 1 Ω es despreciable.

Datos: $V_{BE} = 0.7$ V, Q1 = Q2, $V_o = 0.8 \cdot V_i$

a) Como el circuito es completamente simétrico respecto al nudo de entrada, la tensión justo en dicho punto es igual a la mitad de la tensión de alimentación, o sea, 10 V. Teniendo en cuenta esto, y suponiendo que $I_B \ll I_D$, la tensión en la base de Q1 se puede calcular como:

$$V_{B1} = \frac{100}{1300} \cdot 20 + \frac{1200}{1300} \cdot 10 = 10.77V$$

$$V_{E1} = V_{B1} - V_{BE} = 10.07 \text{ V}$$

de donde

$$I_{CQ} = \frac{V_{E1} - 10}{1} = 0.07 \text{ A}$$

$$V_{CEQ} = V_{CC} - V_{E1} = 9.93 \text{ V}$$

b) La potencia entregada por la fuente de tensión continua viene dada por

$$P_{Fuente} = 2 \cdot V_{CC} \cdot I_{DC} = 2 \cdot V_{CC} \cdot \left(\frac{I_{CQ}}{2} + \frac{I_{o(p)}}{\pi} \right) = 2.67 \text{ W}$$

con

$$I_{o(p)} = \frac{V_{o(p)}}{8} = 0.1 \text{ A}$$

c) En cuanto a la potencia entregada a la carga, se obtiene como

$$P_{R_L} = \frac{1}{2} \cdot \frac{V_{o(p)}^2}{R_L} = 0.04 \text{W}$$

d) En cuanto a la potencia consumida por cada uno de los transistores, suponiendo que la potencia consumida en las resistencias de 1 Ω es despreciable, esta se obtiene como

$$P_{TRT} = \frac{P_{Fuente} - P_{R_L}}{2} = 1.32 \text{ W}$$

Problema 8

Para el siguiente circuito:

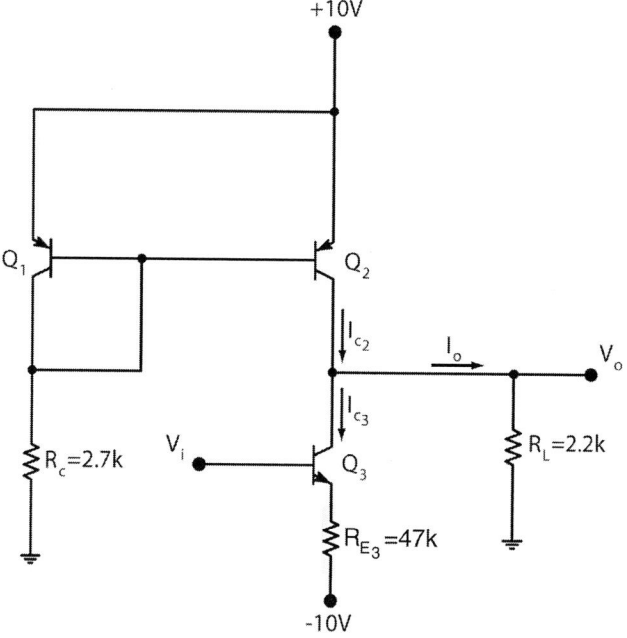

Suponiendo el circuito en estado de reposo (Vi = 0 V), calcular:

a) La tensión de salida, V_o.

b) Las potencias consumidas en cada una de las resistencias.

c) Las potencias consumidas en cada uno de los transistores.

d) La potencia proporcionada por la fuente y la eficiencia de conversión de potencia.

Datos: $h_{fe}=120$, $V_{BE} = 0.7$ V.

a) En este circuito, los transistores Q1 y Q2 forman un espejo de corriente y por tanto se cumple que $I_{B1} = I_{B2}$ e $I_{C_1} = I_{C2}$.

Del análisis de la malla formada por el transistor Q1 y R_C se desprende la siguiente relación:

$$V_{CC} - V_{EB} - I_{R_C} \cdot R_C = 0$$

$$I_{R_C} = \frac{V_{CC} - V_{EB}}{R_C}$$

Por otro lado, analizando el nudo del colector de Q1 se tiene:

$$I_{R_C} = I_{C1} + I_{B1} + I_{B2} = I_{C1} + 2 \cdot I_{B1} = I_{C1} \cdot \left(1 + \frac{2}{\beta}\right)$$

de donde despejando el valor de I_{C1} queda

$$I_{C1} = \left(\frac{\beta}{\beta + 2}\right) \cdot I_{R_C}$$

y por tanto

$$I_{C1} = \left(\frac{\beta}{\beta + 2}\right) \cdot \left(\frac{V_{CC} - V_{EB}}{R_C}\right) = 3.39 \text{mA}$$

En cuanto a la corriente que circula por el colector de Q3, esta se puede calcular como:

$$I_{C3} \approx I_{E3} = \frac{V_{E3} - (-10)}{R_{E3}} = \frac{(0 - 0.7) - (-10)}{47k} = 0.2 \text{ mA}$$

Por último, analizando el nudo de salida se tiene la siguiente relación:

$$I_{C2} = I_{C3} + I_o$$

de donde la corriente de salida es:

$$I_o = I_{C2} - I_{C3} = 3.19 \text{ mA}$$

y la tensión de salida se puede obtener como:

$$V_o = I_o \cdot R_L = 7.02 \text{ V}$$

b) Veamos la distribución de potencias en el circuito.

La potencia consumida en la carga viene dada por

$$P_{R_L} = V_o \cdot I_o = 22.39 \text{ mW}$$

La potencia consumida en R_C viene dada por

$$P_{R_C} = I_{R_C}^2 \cdot R_C = I_{C1}^2 \cdot \left(1 + \frac{2}{\beta}\right)^2 \cdot R_C = 32.07 \text{ mW}$$

Y la potencia consumida en R_{E3} se obtiene como

$$P_{R_{E3}} = I_{C3}^2 \cdot R_{E3} = 1.88 \text{ mW}$$

c) Veamos ahora la potencia consumida en cada uno de los transistores del circuito.

Para ello se calculará primero la tensión colector-emisor en cada uno de los transistores:

$$V_{EC\,Q1} = V_{E\,Q1} - V_{C\,Q1} = V_{E\,Q1} - V_{B\,Q1} = 10 - (10 - 0.7) = 0.70 \text{ V}$$

$$V_{ECQ2} = V_{EQ2} - V_{CQ2} = V_{EQ2} - V_o = 10 - 7.02 = 2.98 \text{V}$$

$$V_{CEQ3} = V_{CQ3} - V_{EQ3} = V_O - V_{E3} = 7.02 - (-0.7) = 7.72 \text{V}$$

Con lo cual, la potencia consumida en cada uno de ellos se obtendrá como:

$$P_{Q1} = I_{C1}V_{ECQ1} = 2.37\,\text{mW}$$

$$P_{Q2} = I_{C2}V_{ECQ2} = 10.1\,\text{mW}$$

$$P_{Q3} = I_{C3}V_{CEQ3} = 1.54\,\text{mW}$$

d) La potencia proporcionada por la fuente se puede calcular como la suma de las potencias consumidas en cada uno de los elementos del circuito.

$$P_{Fuente} = P_{Q1} + P_{Q2} + P_{Q3} + P_{R_C} + P_{R_{E3}} + P_{R_L} = 70.35\,\text{mW}$$

De donde la eficiencia de conversión de potencia es

$$\eta(\%) = \frac{P_{RL}}{P_{Fuente}} \cdot 100 = 31.83\ \%$$

Problema 9

Considerar la etapa de salida clase AB que se muestra en la figura:

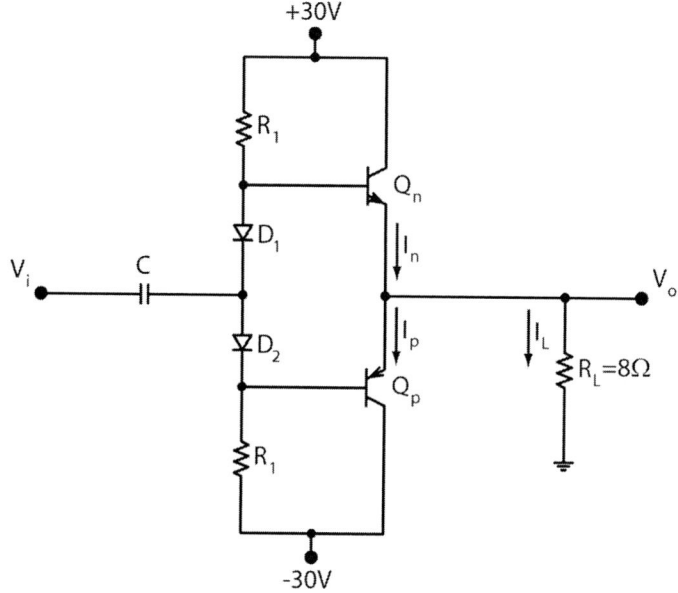

Los diodos y los transistores están apareados, con parámetros

$I_S = 6 \cdot 10^{-12}$ A, $V_F = 0.7$ V y $\beta = 40$.

a) Determinar R_1 tal que la corriente mínima en los diodos sea de 25 mA cuando $V_{o(p)} = 24$ V. Determinar I_n e I_p para esta condición.

b) Utilizando los resultados del apartado a), determinar las corrientes del diodo y el transistor cuando $V_{o(p)} = 0$ V.

c) Calcular la potencia consumida en la red de polarización cuando el circuito está en reposo.

a) Del circuito se desprende que

$$I_{o(p)} = \frac{V_{o(p)}}{R_L} = \frac{24}{8} = 3 \text{ A}$$

Para el semiciclo positivo, Qn está en conducción y Qp en corte. De esta forma se obtiene

$$I_n = I_{o(p)}$$

$$I_p = 0 \text{ A}$$

$$I_B = \frac{I_n}{\beta} = \frac{3}{40} = 0.075 \text{ A}$$

Por lo tanto

$$I_{R1} = I_B + I_{D1} = 0.075 + 0.025 = 0.1 \text{ A}$$

y

$$R_1 = \frac{V_{CC} - V_F}{I_{R1}} = \frac{30 - 0.7}{0.1} = 293 \text{ } \Omega$$

b) Cuando $V_o = 0$ V, ambos transistores están en corte, y en ese caso se tiene que

$$I_D = \frac{V_{CC} - V_F}{R_1} = \frac{30 - 0.7}{293} = 0.1 \text{ A}$$

$$I_Q = I_S = 6 \cdot 10^{-12} \text{ A}$$

c) En cuanto a la potencia consumida en la red de polarización, esta se obtendrá como

$$P_{R1} = I_{R1}^2 \cdot R_1 = 0.1^2 \cdot 293 = 2.93 \text{ W}$$

$$P_D = V_F \cdot I_D = 0.7 \cdot 0.1 = 0.07 \text{ W}$$

y, finalmente

$$P_{Fuente} = 2 \cdot P_{R1} + 2 \cdot P_D = 6 \text{W}$$

Amplificadores realimentados

Problema 1

En el siguiente circuito, calcular:

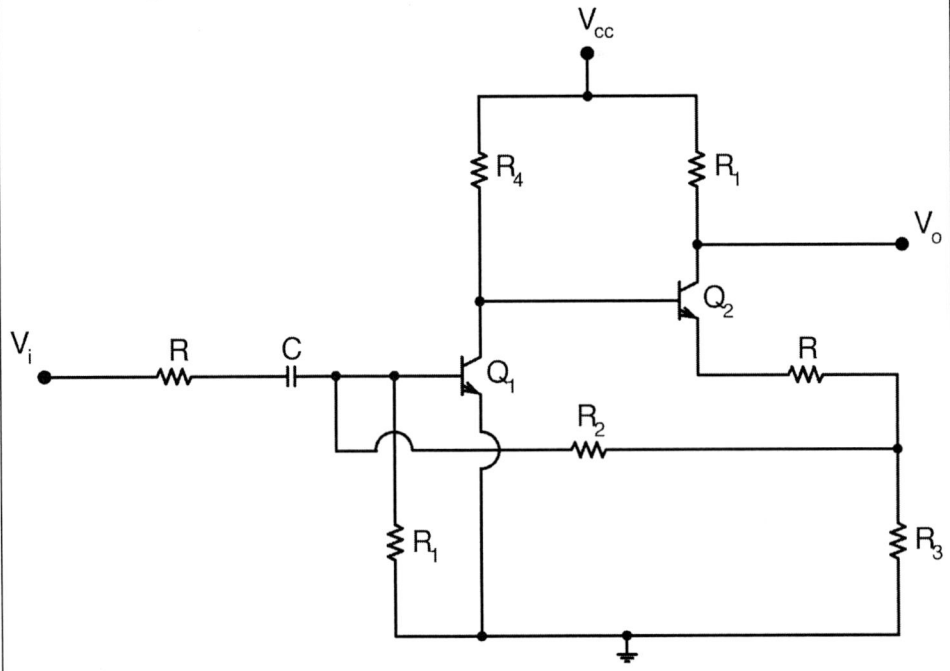

a) Las funciones de transferencia, β_i A_i y A_{if}.

b) La impedancia de entrada Z_{if}.

c) La impedancia de salida Z_{of}.

d) La ganancia en tensión A_{vf}.

Datos: $R = 1$ kΩ, $R_1 = 10$ kΩ, $R_2 = 27$ kΩ, $R_3 = 3$ kΩ, $R_4 = 18$ kΩ,
$Q1 = Q2$, $h_{ie} = 2$ kΩ y $h_{fe} = 50$.

a) El circuito equivalente queda como sigue

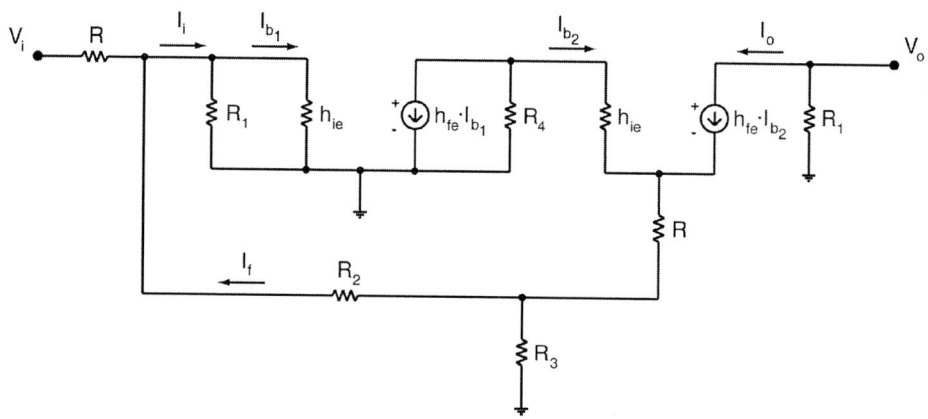

El tipo de realimentación es corriente-paralelo, por lo tanto

$$A_i = \frac{I_o}{I_i} \quad y \quad \beta_i = \frac{I_f}{I_o}$$

La red de realimentación vista desde la entrada será

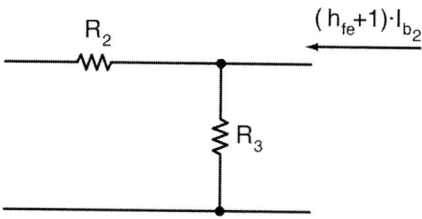

Aplicando Norton, el circuito se puede transformar en una fuente de corriente con una resistencia en paralelo, tal como se muestra en la siguiente figura

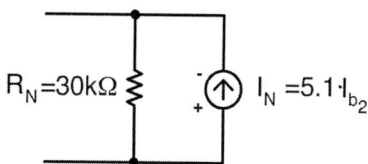

donde

$$I_N = \frac{\left(h_{fe}+1\right) \cdot I_{b2} \cdot R_3}{R_2 + R_3} = 5.1 \cdot I_{b2}$$

$$R_N = R_2 + R_3 = 30 \text{ k}\Omega$$

Por otro lado, la red de realimentación vista desde la salida equivale a dos resistencias en paralelo

$$R^{'} = R_2 \parallel R_3 = 2.7 \text{ k}\Omega$$

De esta manera, el circuito equivalente es el siguiente

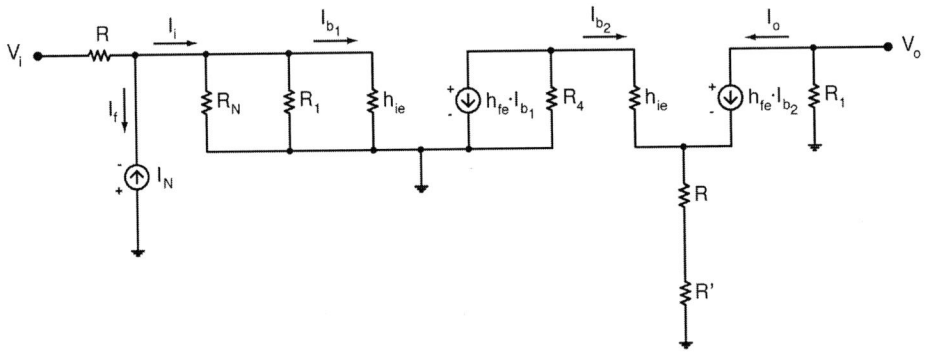

de donde

$$\left. \begin{array}{l} I_o = h_{fe} \cdot I_{b2} \\ I_f = -I_N = -5.1 \cdot I_{b2} \end{array} \right\} \quad \beta_i = \frac{I_f}{I_o} = \frac{-5.1}{h_{fe}} = -0.1$$

Para calcular A_i analizamos cada una de las etapas del amplificador.

Etapa de entrada:

$$I_{b1} = \frac{\left(R_N \parallel R_1\right)}{\left(R_N \parallel R_1\right) + h_{ie}} \cdot I_i$$

$$I_{b1} = 0.79 \cdot I_i$$

Etapa intermedia:

$$Z_2 = h_{ie} + \left(h_{fe} + 1\right)\left(R + R'\right)$$

$$h_{fe} \cdot I_{b1} \cdot \left(R_4 \| Z_2\right) = -I_{b2} \cdot Z_2$$

$$I_{b2} = -4.312 \cdot I_{b1}$$

Etapa salida:

$$I_o = h_{fe} \cdot I_{b2}$$

$$I_o = 50 \cdot I_{b2}$$

De donde se deduce que

$$A_i = \frac{I_o}{I_i} = -170.34$$

y por tanto

$$A_{if} = \frac{A_i}{1 + A_i \cdot \beta_i} = 9.46$$

b) En cuanto a la impedancia de entrada, esta es:

$$Z_i = R_N \| R_1 \| h_{ie} = 1.58 \text{ k}\Omega$$

y

$$Z_{if} = \frac{Z_i}{1 + A_i \cdot \beta_i} = 88 \ \Omega$$

c) La impedancia de salida se obtiene como:

$$Z_o = R_1 = 10 \text{ k}\Omega$$

y

$$Z_{of} = Z_o \cdot \left(1 + A_i \cdot \beta_i\right) = 180 \text{ k}\Omega$$

d) A partir de los datos obtenidos anteriormente, se puede representar el amplificador realimentado mediante el siguiente cuadripolo equivalente:

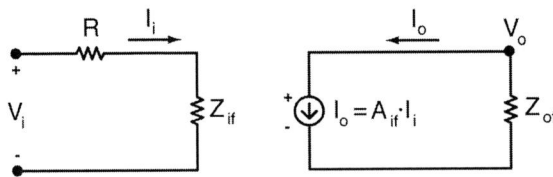

donde se cumplen las siguientes relaciones:

$$\left. \begin{array}{c} V_i = I_i \cdot \left(R + Z_{if}\right) \\ V_o = -I_o \cdot Z_{of} \end{array} \right\}$$

y a partir de las cuales se puede calcular la ganancia en tensión como:

$$A_V = \frac{V_o}{V_i} = \frac{-I_o \cdot Z_{of}}{I_i \cdot \left(R + Z_{if}\right)} = -A_{if} \cdot \frac{Z_{of}}{R + Z_{if}} = -1566$$

Problema 2

Dado el siguiente amplificador realimentado, calcular:

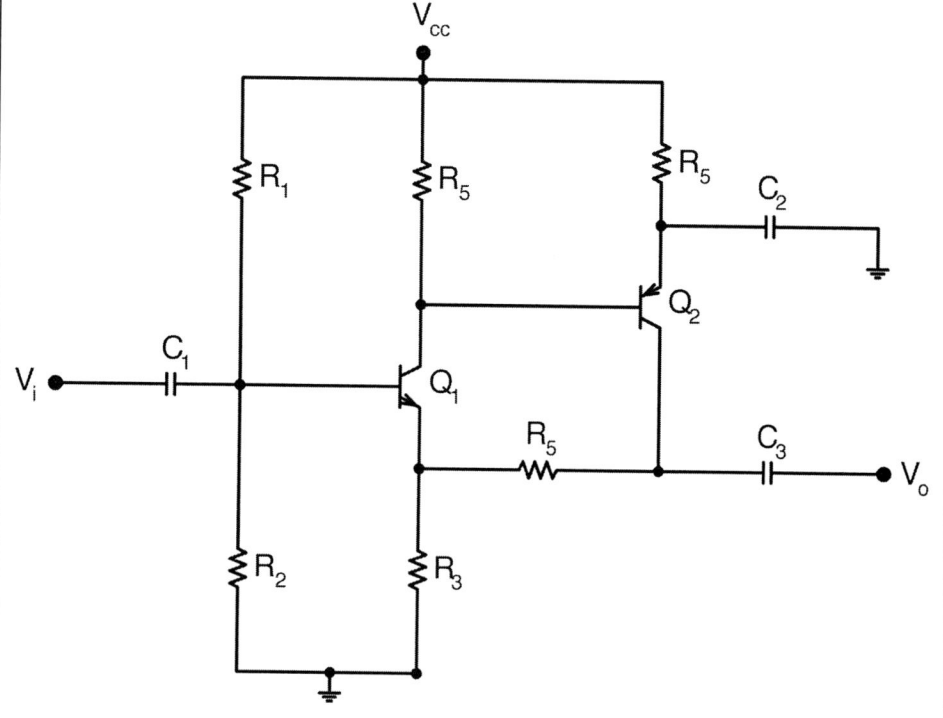

a) Las funciones de transferencia, β_v, A_v y A_{vf}.

b) La impedancia de entrada Z_{if}.

c) La impedancia de salida Z_{of}.

d) La ganancia en corriente A_{if}

Datos: $V_{BE} = 0.7\,V$, $h_{fe1} = h_{fe2} = 100$, $h_{ie1} = 7.14\,k\Omega$, $h_{ie2} = 13.16\,k\Omega$, $C_i \rightarrow \infty$,

$R_1 = 190\ k\Omega$, $R_2 = 10\ k\Omega$, $R_3 = 500\ \Omega$, $R_4 = 5\ k\Omega$, $R_5 = 4.5\ k\Omega$,

$V_{CC} = 20\ V$.

El circuito equivalente queda como sigue

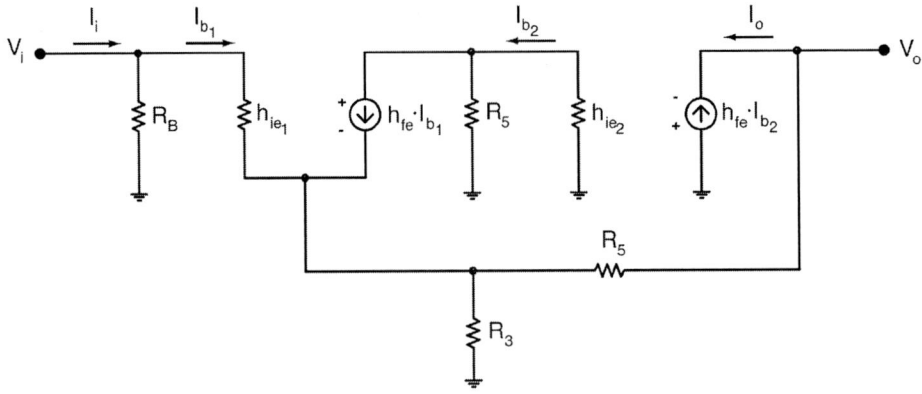

donde $R_B = R_1 \parallel R_2$

La red de realimentación vista desde la entrada es como se muestra en la siguiente figura (izquierda). Aplicando Thevenin, el circuito se puede transformar en una fuente de tensión en serie con una resistencia, tal y como se muestra

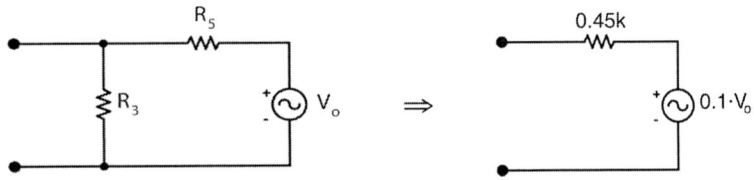

donde

$$R_{Th} = R_3 \parallel R_5 = 0.45 \text{ k}\Omega$$

$$V_{Th} = \frac{R_3}{R_3 + R_5} \cdot V_o = 0.1 \cdot V_o$$

Por otro lado, la red de realimentación vista desde la salida equivale a dos resistencias en serie

$$R' = R_3 + R_5 = 5 \text{ k}\Omega$$

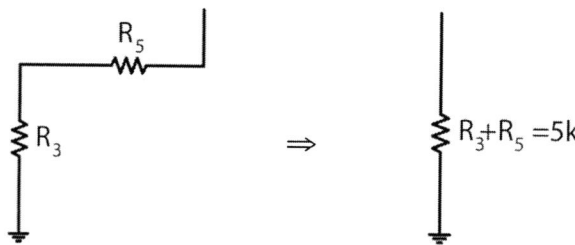

De esta manera, la función de transferencia de la red de realimentación se calcula como:

$$\beta_v = \frac{V_f}{V_o} = 0.1$$

y el circuito equivalente queda de la siguiente manera

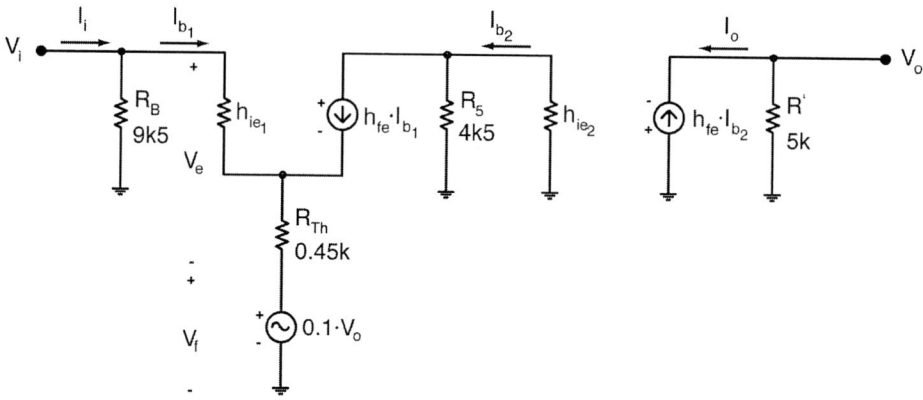

de donde

$$V_o = h_{fe} \cdot I_{b2} \cdot R'$$

$$h_{fe} \cdot I_{b1} \cdot (R_5 \| h_{ie2}) = I_{b2} \cdot h_{ie2}$$

$$V_e = I_{b1} \cdot \left[h_{ie1} + R_{Th} \cdot (1 + h_{fe}) \right]$$

y sustituyendo valores

$$V_o = 500000 \cdot I_{b2}$$

$$335300 \cdot I_{b1} = 13160 \cdot I_{b2}$$

$$V_e = 52590 \cdot I_{b1}$$

A partir de las ecuaciones anteriores, la ganancia del amplificador se obtiene como

$$A_v = \frac{V_o}{V_e} = \frac{V_o}{I_{b2}} \cdot \frac{I_{b2}}{I_{b1}} \cdot \frac{I_{b1}}{V_e} = 242$$

Y por tanto, la ganancia del amplificador realimentado es:

$$A_{vf} = \frac{A_v}{1 + A_v \cdot \beta_v} = 9.68$$

b) La impedancia de entrada se calcula como:

$$Z_B = h_{ie1} + (h_{fe} + 1) \cdot R_{Th} = 52590 \ \Omega$$

$$Z_{Bf} = Z_B \cdot (1 + A_v \cdot \beta_v) = 1325268 \ \Omega$$

y por tanto

$$Z_{if} = R_B \parallel Z_{Bf} = 9432 \ \Omega$$

c) La impedancia de salida se obtiene como:

$$Z_o = R' = 5 \ k\Omega$$

y

$$Z_{of} = \frac{Z_o}{(1 + A_v \cdot \beta_v)} = 200 \ \Omega$$

d) A partir de los datos obtenidos anteriormente, se puede representar el amplificador realimentado mediante el siguiente cuadripolo equivalente:

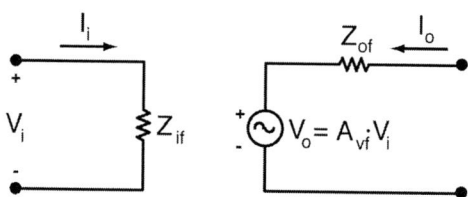

donde se cumplen las siguientes relaciones:

$$I_i = \frac{V_i}{Z_{if}} \left. \right\}$$
$$I_o = -\frac{V_o}{Z_{of}}$$

y a partir de las cuales se puede calcular la ganancia en corriente como:

$$A_{if} = \frac{I_o}{I_i} = \frac{-\dfrac{V_o}{Z_{of}}}{\dfrac{V_i}{Z_{if}}} = -\frac{V_o}{V_i} \cdot \frac{Z_{if}}{Z_{of}} = -A_{vf} \cdot \frac{Z_{if}}{Z_{of}} = -457$$

Problema 3

Dado el siguiente amplificador realimentado, calcular:

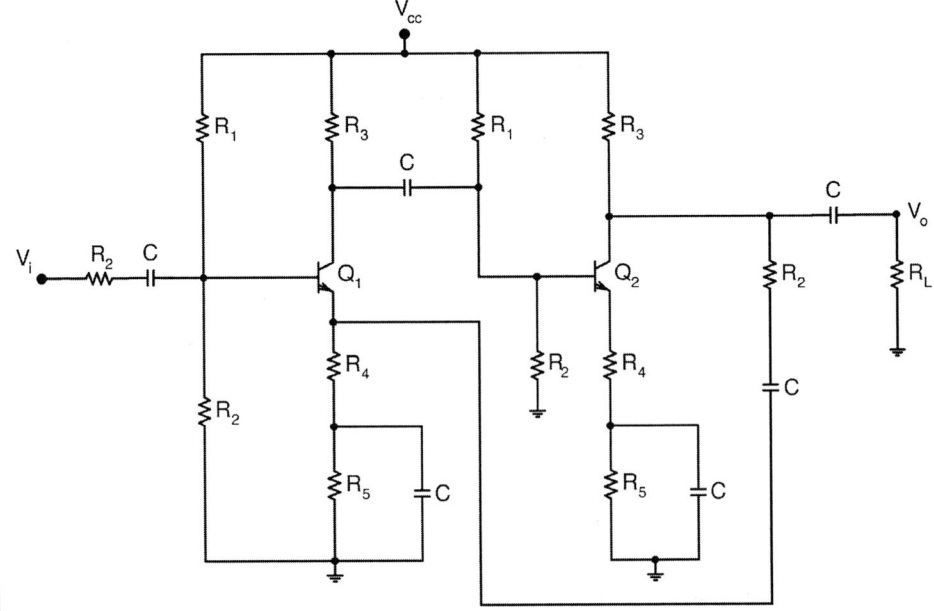

a) *Las funciones de transferencia* A_v, β_v, A_{vf} .

b) *La impedancia de entrada* Z_e.

c) *La impedancia de salida* Z_{of}.

d) *La ganancia en tensión* V_o/V_i .

Datos: $R_1 = 10 \text{ k}\Omega$, $R_2 = 1 \text{ k}\Omega$, $R_3 = 500 \text{ }\Omega$, $R_4 = 22 \text{ }\Omega$, $R_5 = 82 \text{ }\Omega$, $R_L = 1 \text{ k}\Omega$, $C_i \to \infty$, $Q1 = Q2$, $V_{BE} = 0.6 \text{ V}$, $h_{fe} = 20$, $h_{ie} = 200 \text{ }\Omega$.

a) Para la caracterización del amplificador realimentado no se tendrán en cuenta la resistencia de la fuente, R_2, ni la resistencia de la carga, R_L.

Se trata de un tipo de realimentación tensión-serie. El circuito equivalente queda como sigue

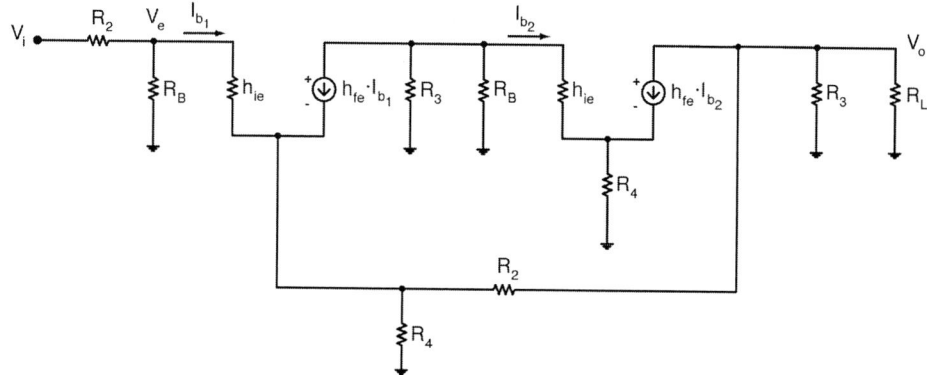

donde $R_B = R_1 \| R_2 = 909 \ \Omega$

La red de realimentación vista desde la entrada es como se muestra en la siguiente figura (izquierda). Aplicando Thévenin, el circuito se puede transformar en una fuente de tensión en serie con una resistencia, tal y como se muestra

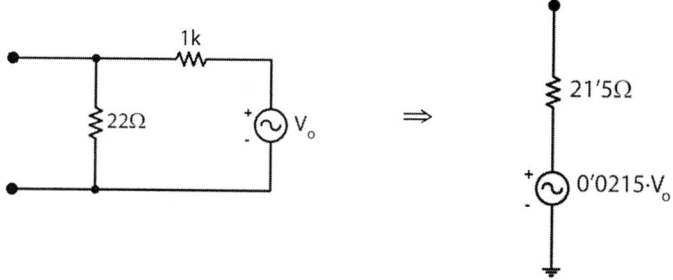

donde

$$R_{Th} = R_4 \| R_2 = 21.5 \ \Omega$$

$$V_{Th} = \frac{R_4}{R_4 + R_2} \cdot V_o = 0.0215 \cdot V_o$$

Por otro lado, la red de realimentación vista desde la salida equivale a dos resistencias en serie

$$R' = R_4 + R_2 = 1022 \; \Omega$$

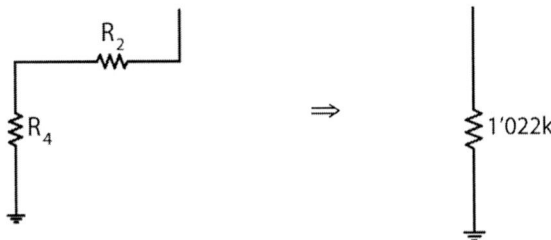

De esta manera, la función de transferencia de la red de realimentación se calcula como:

$$\beta_v = \frac{V_f}{V_o} = 0.0215$$

y el circuito equivalente queda de la siguiente manera

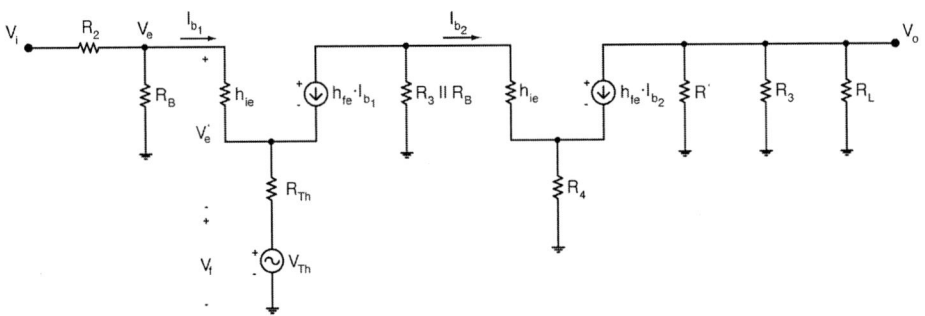

de donde,

$$V_o = -h_{fe} \cdot I_{b2} \cdot \left[R' \| R_3 \right]$$

$$V_o = -6715 \cdot I_{b2}$$

$$-h_{fe} \cdot I_{b1} \cdot \left[(R_3 \parallel R_B) \parallel \left(h_{ie} + (h_{fe}+1) \cdot R_4 \right) \right] = I_{b2} \cdot \left[h_{ie} + (h_{fe}+1) \cdot R_4 \right]$$

$$I_{b2} = -6.6 \cdot I_{b1}$$

$$V_e' = I_{b1} \cdot \left[h_{ie} + (1+h_{fe}) \cdot R_{Th} \right]$$

$$V_e' = 652 \cdot I_{b1}$$

A partir de las ecuaciones anteriores, la ganancia del amplificador se obtiene como

$$A_v = \frac{V_o}{V_e'} = \frac{V_o}{I_{b2}} \cdot \frac{I_{b2}}{I_{b1}} \cdot \frac{I_{b1}}{V_e'} = 68$$

Y por tanto, la ganancia del amplificador realimentado es:

$$A_{vf} = \frac{V_o}{V_e} = \frac{V_o}{V_e' + V_f} = \frac{A_v}{1 + A_v \cdot \beta_v} = 28$$

b) Calculada A_{vf} el circuito se puede simplificar como sigue

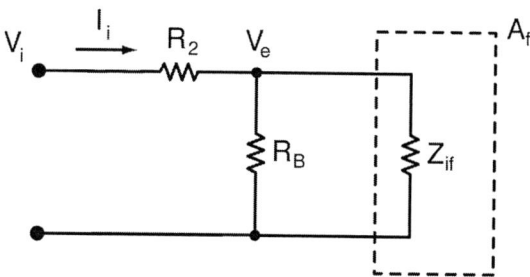

Sabemos que

$$Z_{if} = Z_i \cdot (1 + A_v \cdot \beta_v) = 1605\,\Omega$$

siendo Z_i la impedancia de entrada del amplificador básico sin realimentación pero con los efectos de carga de la cadena de realimentación.

$$Z_i = h_{ie} + (1 + h_{fe}) \cdot R_{Th} = 652 \ \Omega$$

De esta manera

$$Z_e = R_B \| Z_{if} = 580 \ \Omega$$

donde no se considera la resistencia de la fuente, R_2.

c) A partir de la etapa de entrada equivalente mostrada en la figura anterior, se cumple:

$$V_e = \frac{(R_B \| Z_{if})}{(R_B \| Z_{if}) + R_2} \cdot V_i = 0.37 \cdot V_i$$

de donde se obtiene la ganancia en tensión, sin considerar R_L, como:

$$\frac{V_o}{V_i} = \frac{V_o}{V_e} \cdot \frac{V_e}{V_i} = A_{vf} \cdot 0.37 = 10.4$$

d) La impedancia de salida se obtiene como:

$$Z_o = R' \| R_3 = 336 \ \Omega$$

y

$$Z_{of} = \frac{Z_o}{(1 + A_v \cdot \beta_v)} = 136 \ \Omega$$

Problema 4

Dado el siguiente amplificador realimentado, calcular:

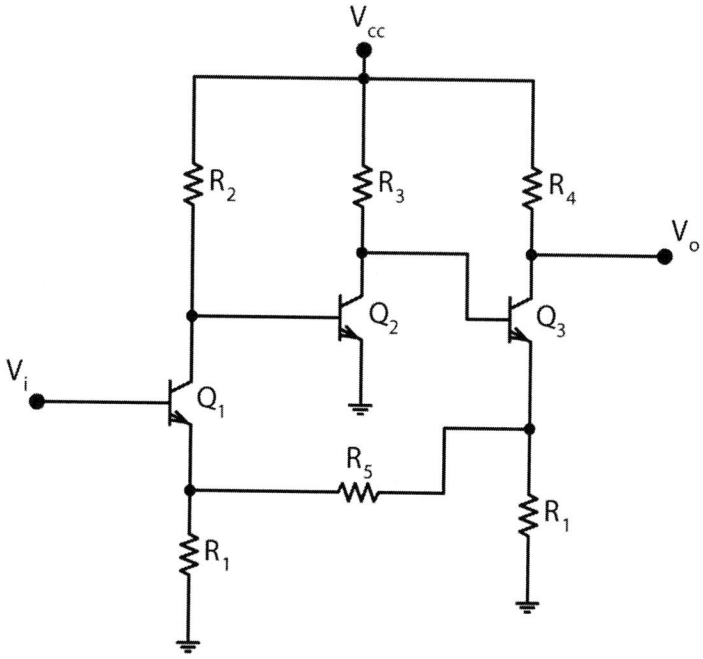

a) Las funciones de transferencia A_{iv}, β_{vi}, A_f .

b) La impedancia de entrada Z_e.

c) La impedancia de salida Z_{of}.

d) La ganancia en tensión V_o/V_i.

Datos: $R_1 = 0.1\ \Omega$, $R_2 = 9\ \Omega$, $R_3 = 5\ \Omega$, $R_4 = 0.6\ \Omega$, $R_5 = 0.64\ \Omega$, $h_{fe1} = h_{fe2} = h_{fe3} = 100$, $h_{ie1} = 4.17\ \Omega$, $h_{ie2} = 2.5\ \Omega$ y $h_{ie3} = 0.63\ \Omega$.

a) El circuito equivalente queda como sigue

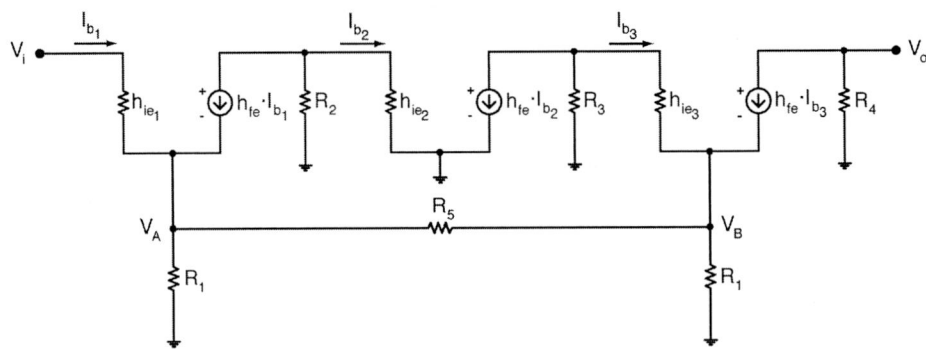

Se trata de un tipo de realimentación corriente-serie. La red de realimentación vista desde la entrada y su correspondiente circuito equivalente Thévenin son:

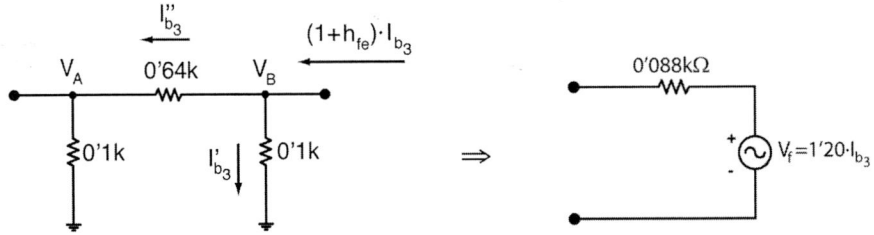

donde se cumple

$$I'_{b3} = \frac{V_B}{0.1k} \quad y \quad I''_{b3} = \frac{V_B}{0.64k + 0.1k}$$

$$\left(1 + h_{fe}\right) I_{b3} = I'_{b3} + I''_{b3} = \left(\frac{1}{0.1k} + \frac{1}{0.64k + 0.1k}\right) \cdot V_B$$

$$V_A = 0.1k \cdot I''_{b3} = 0.1k \cdot \frac{V_B}{0.64k + 0.1k}$$

y por tanto se tiene

$$V_{Th} = V_A = \frac{0.1k}{0.64k + 0.1k} \cdot \left| \frac{\left(1 + h_{fe}\right) I_{b3}}{\frac{1}{0.1k} + \frac{1}{0.1k + 0.64k}} \right| = 1202 \cdot I_{b3}$$

y

$$R_{Th} = 0.1k \parallel (0.64k + 0.1k) = 88 \ \Omega$$

Por otro lado, la red de realimentación desde la salida y su correspondiente circuito equivalente son:

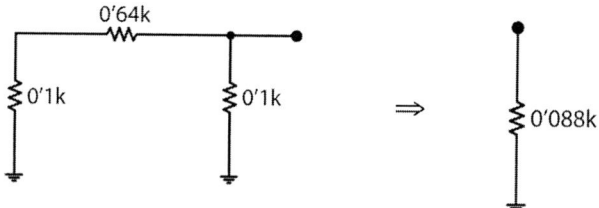

con

$$R' = 0.1k \parallel (0.64k + 0.1k) = 88 \ \Omega$$

De esta manera, la función de transferencia de la red de realimentación se calcula como:

$$\beta_{vi} = \frac{V_f}{I_o} = \frac{V_{Th}}{h_{fe} \cdot I_{b3}} = 12 \Omega$$

y el circuito equivalente queda de la siguiente manera

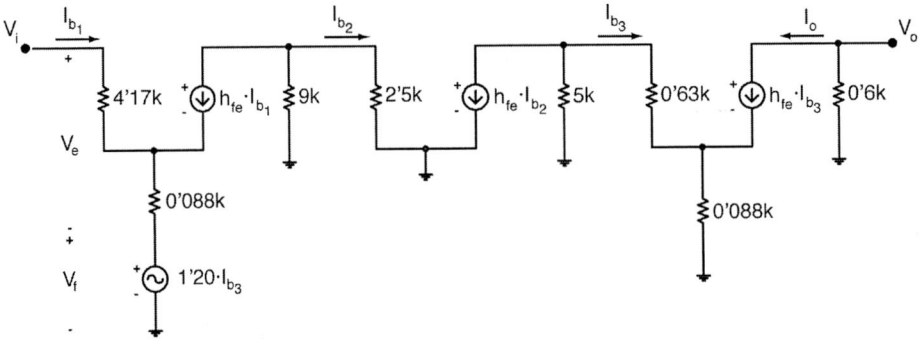

de donde

$$V_e = I_{b1} \cdot \left[h_{ie1} + R_{Th} \cdot \left(1 + h_{fe} \right) \right]$$

$$V_e = 13068 \cdot I_{b1}$$

$$-h_{fe} \cdot I_{b1} \cdot \left[R_2 \parallel h_{ie2} \right] = I_{b2} \cdot h_{ie2}$$

$$I_{b2} = -78.26 \cdot I_{b1}$$

$$-h_{fe} \cdot I_{b2} \cdot \left[R_3 \parallel \left(h_{ie3} + \left(h_{fe} + 1 \right) 0.088 \right) \right] = I_{b3} \cdot \left[h_{ie3} + \left(h_{fe} + 1 \right) 0.088 \right]$$

$$I_{b3} = -34.42 \cdot I_{b2}$$

$$I_o = h_{fe} \cdot I_{b3} = 100 \cdot I_{b3}$$

Finalmente

$$A_{iv} = \frac{I_o}{V_e} = \frac{I_o}{I_{b3}} \cdot \frac{I_{b3}}{I_{b2}} \cdot \frac{I_{b2}}{I_{b1}} \cdot \frac{I_{b1}}{V_e} = 20.61 \ \Omega^{-1}$$

$$A_{ivf} = \frac{I_o}{V_i} = \frac{A_{iv}}{1 + \beta_{vi} \cdot A_{iv}} = 0.083 \ \Omega^{-1}$$

b) La impedancia de entrada se calcula como:

$$Z_i = h_{ie1} + \left(h_{fe} + 1\right) R_{Th} = 13068 \ \Omega$$

y por tanto

$$Z_{if} = Z_i \cdot \left(1 + A_{iv} \cdot \beta_{vi}\right) = 3.25 \ M\Omega$$

c) La impedancia de salida se obtiene como:

$$Z_o = R_4 = 0.6 \ k\Omega$$

y

$$Z_{of} = Z_o \cdot \left(1 + A_{iv} \cdot \beta_{vi}\right) = 0.15 \ M\Omega$$

d) A partir de los datos obtenidos anteriormente, se puede representar el amplificador realimentado mediante el siguiente cuadripolo equivalente:

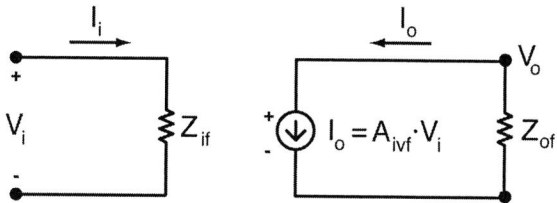

donde se cumplen las siguientes relaciones:

$$\left.\begin{aligned} I_i &= \frac{V_i}{Z_{if}} \\ I_o &= -\frac{V_o}{Z_{of}} \end{aligned}\right\}$$

y a partir de las cuales se puede calcular la ganancia en corriente como:

$$\frac{V_o}{V_i} = \frac{-I_o \cdot Z_{of}}{V_i} = -A_{ivf} \cdot Z_{of} = -12367$$

Problema 5

Para el siguiente circuito, calcular la ganancia en tensión, V_o/V_i, y la

ganancia en corriente, I_o/I_i.

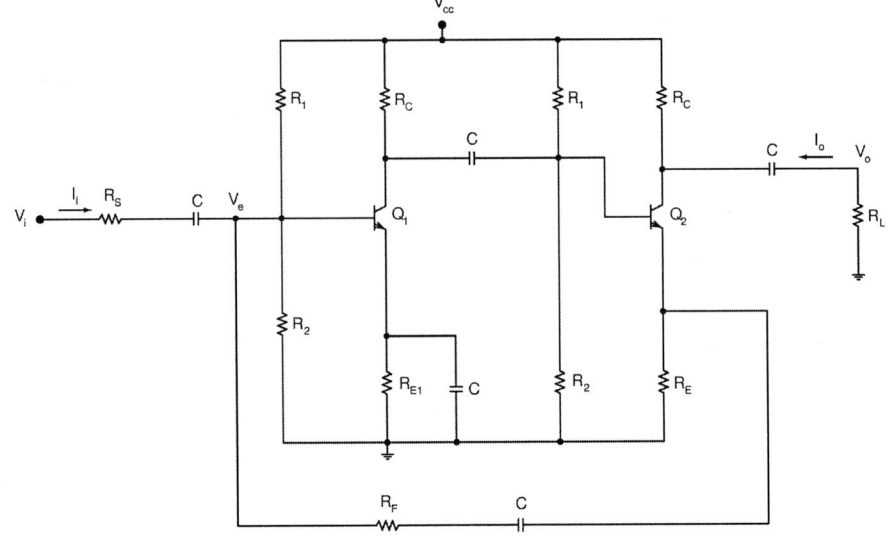

Datos: $Q1 \equiv Q2$, $h_{ie} = 1.1\ k\Omega$, $h_{fe} = 50$.

$R_1 = 91\ k\Omega$, $R_2 = 10\ k\Omega$, $R_C = 4.7\ k\Omega$, $R_E = 0.1\ k\Omega$, $R_{E1} = 1\ k\Omega$,

$R_F = 15\ k\Omega$, $R_S = 4.7\ k\Omega$, $R_L = 4.7\ k\Omega$

Para efectos de poder obtener la ganancia del amplificador básico, A_i, y la ganancia de la red de realimentación, β_i, se deberá considerar el amplificador realimentado sin carga y sin resistencia de fuente.

Teniendo en cuenta esta consideración, el primer paso ahora consistirá en mostrar el circuito equivalente de pequeña señal en alterna.

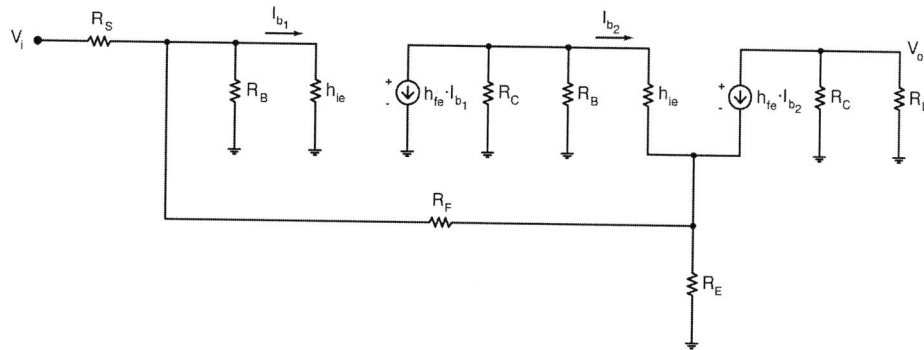

donde $R_B = R_1 \| R_2 = 9010 \, \Omega$

Como se puede observar se trata de una realimentación del tipo corriente-corriente.

A continuación se debe estudiar cómo afecta la red de realimentación a las etapas de entrada y salida respectivamente.

<u>Etapa de entrada:</u>

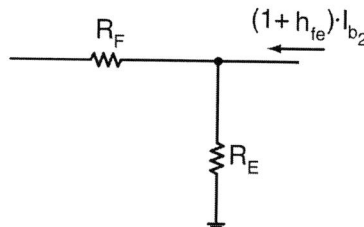

De donde el correspondiente circuito equivalente Norton queda de la siguiente manera:

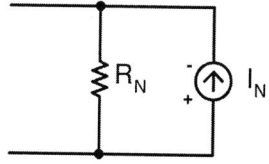

con:

$$I_N = \frac{R_E}{R_E + R_F} \cdot \left(h_{fe} + 1\right) I_{B2} = 0.338 \cdot I_{B2}$$

$$R_N = R_E + R_F = 15.1 \text{ k}\Omega$$

Etapa de salida:

Por otro lado, la red de realimentación desde la salida queda de la siguiente forma:

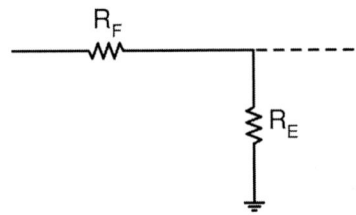

Cuyo circuito equivalente se reduce a una sola resistencia de valor:

$$R' = R_F \| R_E = 99.34 \ \Omega$$

De esta manera, la función de transferencia de la red de realimentación se calcula como:

$$\beta_i = \frac{I_f}{I_o} = \frac{-0.338 \cdot I_{B2}}{50 \cdot I_{B2}} = -0.007$$

y el circuito equivalente queda de la siguiente manera

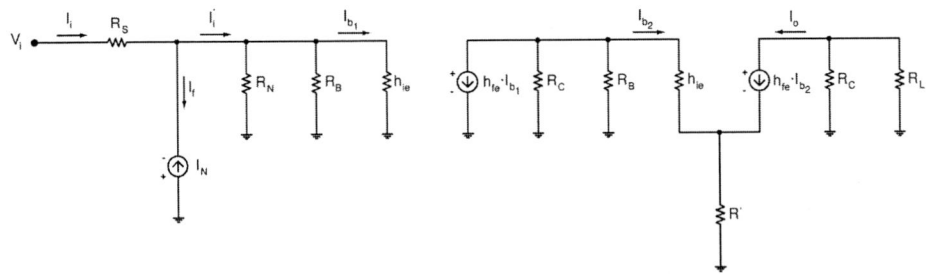

Analizando ahora la etapa de entrada, la etapa intermedia, y la etapa de salida se obtienen las siguientes expresiones:

$$I_i' \cdot \left(R_N \parallel R_B \parallel h_{ie1}\right) = I_{b1} \cdot h_{ie1}$$

$$-h_{fe} \cdot I_{b1} \cdot \left(R_C \parallel R_B \parallel \left(h_{ie} + (h_{fe}+1) \cdot R'\right)\right) = I_{b2} \cdot \left(h_{ie} + (h_{fe}+1) \cdot R'\right)$$

$$h_{fe} \cdot I_{b2} = I_o$$

Y substituyendo cada uno de los valores:

$$I_i' = 1.195 \cdot I_{b1}$$

$$I_{b2} = -16.687 \cdot I_{b1}$$

$$I_o = 50 \cdot I_{b2}$$

A partir de estas relaciones, la ganancia del amplificador básico se calcula como:

$$A_i = \frac{I_o}{I_i'} = \frac{50 \cdot I_{b2}}{1.195 \cdot \left(\dfrac{-I_{b2}}{16.687}\right)} = -698.2$$

Y por tanto, la ganancia del amplificador realimentado es:

$$A_{if} = \frac{I_o}{I_i} = \frac{I_o}{I_i' + I_f} = \frac{A_i}{1 + A_i \cdot \beta_i} = 14.5$$

La impedancia de entrada se calcula como:

$$Z_i = \left(R_N \parallel R_B \parallel h_{ie}\right) = 921\,\Omega$$

y por tanto

$$Z_{if} = \frac{Z_i}{1 + A_i \cdot \beta_i} = 161\,\Omega$$

La impedancia de salida se obtiene como:

$$Z_o = R_C = 4.7 \text{ k}\Omega$$

y

$$Z_{of} = Z_o \cdot (1 + A_i \cdot \beta_i) = 226532 \ \Omega$$

A partir de los datos obtenidos anteriormente, se puede representar el amplificador realimentado mediante el siguiente cuadripolo equivalente:

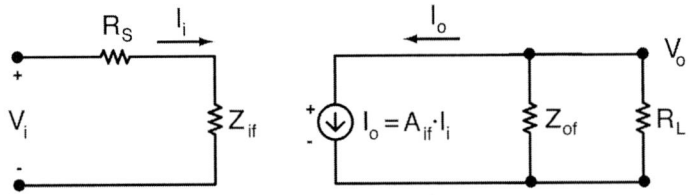

donde se cumplen las siguientes relaciones:

$$\left. \begin{array}{c} I_i = \dfrac{V_i}{R_s + Z_{if}} \\[2ex] I_o = -\dfrac{V_o}{(Z_{of} \| R_L)} \end{array} \right\}$$

y a partir de las cuales se puede calcular la ganancia en corriente del circuito realimentado con carga como:

$$\frac{I_o'}{I_i} = \frac{\dfrac{I_o \cdot Z_{of}}{Z_{of} + R_L}}{I_i} = \frac{I_o}{I_i} \cdot \frac{Z_{of}}{Z_{of} + R_L} = A_{if} \cdot \frac{Z_{of}}{Z_{of} + R_L} = 14.2$$

y la ganancia en tensión:

$$\frac{V_o}{V_i} = \frac{-I_o \cdot \dfrac{Z_{of} \cdot R_L}{Z_{of} + R_L}}{I_i \cdot (R_s + Z_{if})} = -A_{if} \cdot \frac{Z_{of} \cdot R_L}{(Z_{of} + R_L) \cdot (R_s + Z_{if})} = 13.7$$

Problema 6

Dado el siguiente circuito

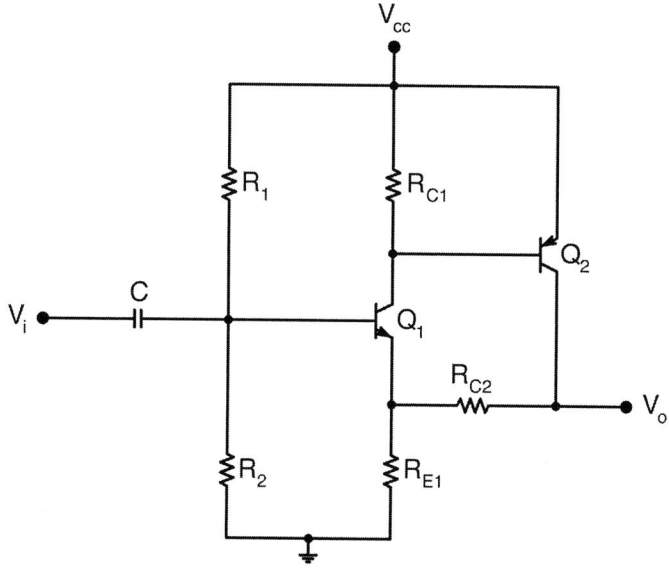

a) Calcular la función de transferencia del amplificador, A_v y la función de transferencia de la red de realimentación, β_v.

b) Calcular la ganancia en tensión del circuito realimentado, A_{vf}.

c) Calcular las impedancias de entrada y de salida del circuito completo.

d) A partir de los resultados obtenidos en los apartados anteriores, calcular la ganancia en corriente del circuito realimentado, A_{if}.

Datos: $V_{CC} = 9$ V, $\beta = 100$, $r_e = 10$ Ω, $V_{BE} = 0.7$ V, $R_1 = 20$ kΩ, $R_2 = 20$ kΩ, $R_{C1} = 1$ kΩ, $R_{E1} = 1$ kΩ, $R_{C2} = 1$ kΩ.

a) El tipo de realimentación es tensión-serie y el circuito equivalente

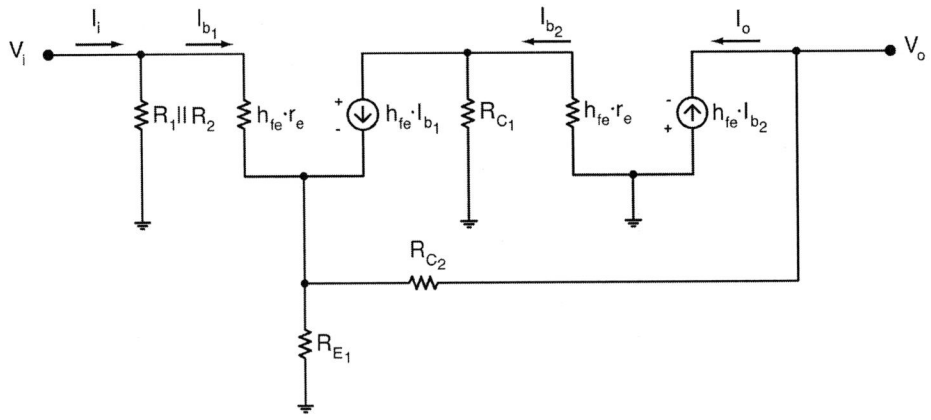

Para la etapa de entrada

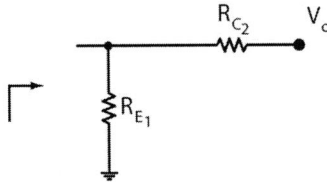

se obtiene el siguiente equivalente Thévenin

$$V_{Th} = \frac{V_o}{R_{C2} + R_{E1}} \cdot R_{E1} = 0.5\text{V}$$

$$R_{Th} = R_{E1} \| R_{C2} = 0.5 \text{ k}\Omega$$

Mientras que para la etapa de salida

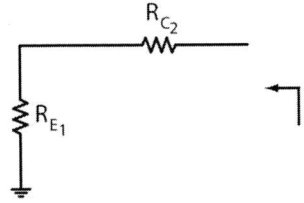

se obtiene

$$R_{sal} = R_{E1} + R_{C2} = 2\ k\Omega$$

De esta manera, el circuito equivalente queda como sigue

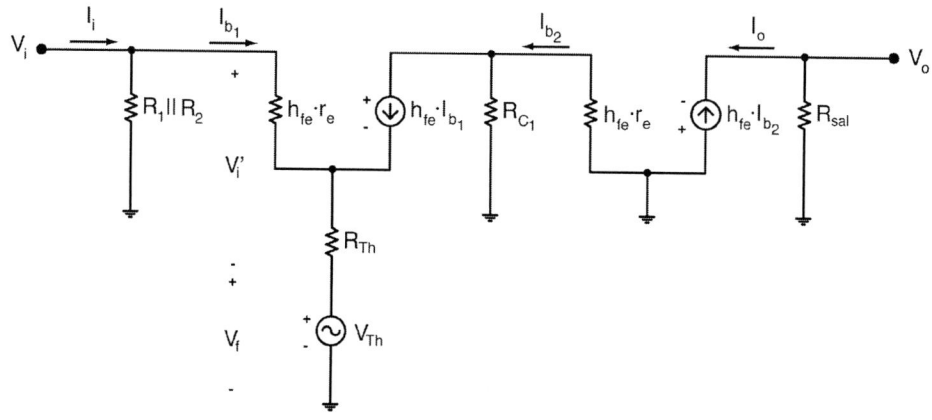

Para la red de realimentación β se obtiene

$$\beta_v = \frac{V_f}{V_o} = \frac{V_{Th}}{V_o} = \frac{R_{E1}}{R_{E1} + R_{C2}} = 0.5$$

y para la red de amplificación A_v

$$V_i' = I_{b1} \cdot h_{fe} \cdot r_e + \left(h_{fe} + 1\right) I_{b1} \cdot R_{Th}$$

$$-I_{b1} \cdot h_{fe} \cdot \left(R_{C1} \parallel h_{fe} \cdot r_e\right) = -I_{b2} \cdot h_{fe} \cdot r_e$$

$$V_o = h_{fe} \cdot I_{b2} \cdot R_{sal}$$

de donde

$$\frac{I_{b1}}{V_i'} = \frac{1}{h_{fe} \cdot r_e + \left(h_{fe} + 1\right) R_{Th}} = \frac{1}{51500}$$

$$\frac{I_{b2}}{I_{b1}} = \frac{h_{fe} \cdot \left(R_{C1} \parallel h_{fe} \cdot r_e\right)}{h_{fe} \cdot r_e} = 50$$

$$\frac{V_o}{I_{b2}} = h_{fe} \cdot R_{sal} = 200 \text{ k}\Omega$$

y, finalmente

$$A_v = \frac{V_o}{V_i'} = \frac{V_o}{I_{b2}} \cdot \frac{I_{b2}}{I_{b1}} \cdot \frac{I_{b1}}{V_i'} = 194.2$$

b) En cuanto a la ganancia de tensión del circuito realimentado

$$A_{vf} = \frac{A_v}{1 + A_v \cdot \beta_v} = 1.98$$

c) Las impedancias de entrada y de salida se calculan del siguiente modo

$$Z_i = h_{fe} \cdot r_e + \left(h_{fe} + 1\right) R_{Th} = 51.5 \text{ k}\Omega$$

$$Z_{if} = Z_i \cdot \left(1 + A_v \cdot \beta_v\right) = 5051.4 \text{k}\Omega$$

$$Z_e = Z_{if} \parallel \left(R_1 \parallel R_2\right) = 9980 \ \Omega$$

y

$$Z_o = R_{sal} = 2 \text{ k}\Omega$$

$$Z_{of} = \frac{Z_o}{1 + A_v \cdot \beta_v} = 20.4\Omega$$

d) Ganancia en corriente

A partir de los datos obtenidos anteriormente, se puede representar el amplificador realimentado mediante el siguiente cuadripolo equivalente:

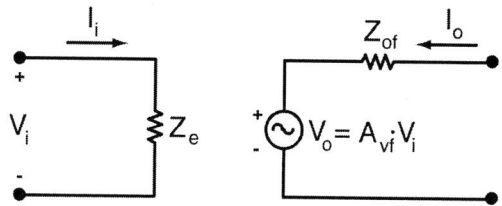

de donde la ganancia en corriente se obtiene como:

$$A_{if} = \frac{I_o}{I_i} = \frac{-\dfrac{V_o}{Z_{of}}}{\dfrac{V_i}{Z_e}} = -\frac{V_o}{V_i} \cdot \frac{Z_e}{Z_{of}} = -A_{vf} \cdot \frac{Z_e}{Z_{of}} = -969$$

Problema 7

Dado el siguiente circuito

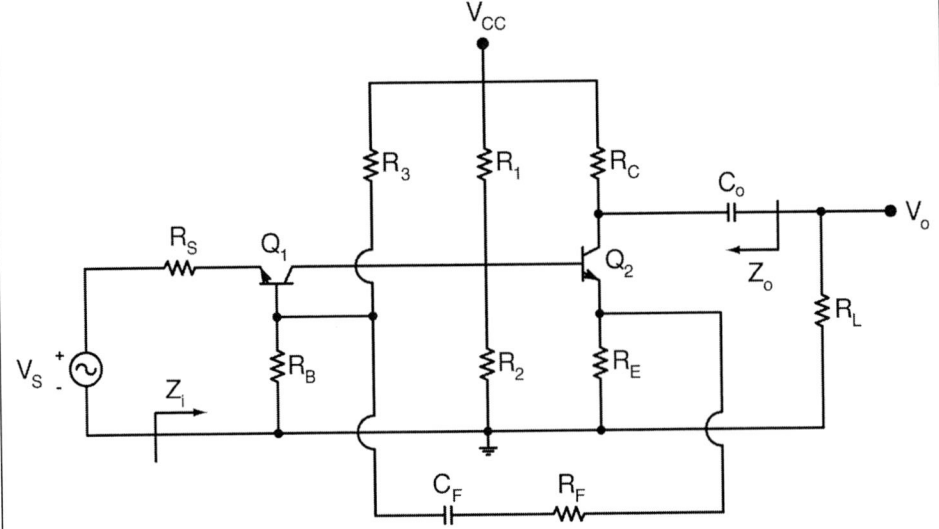

a) *Calcular la relación de realimentación, β_{vi}.*

b) *Calcular la ganancia del sistema realimentado, A_{ivf}.*

c) *Calcular las impedancias de entrada y de salida del amplificador realimentado.*

d) *Calcular el valor de la relación V_o/V_S.*

Datos: $V_{CC}= 12$ V, $h_{ie1}= 3660$ Ω, $h_{ie2}= 489$ Ω, $h_{fe}=150$.

$R_S= 500$ Ω, $R_B= 10$ kΩ, $R_1= 4.4$ kΩ, $R_2= 1.2$ kΩ, $R_3= 82$ kΩ, $R_C= 1$ kΩ, $R_E= 100$ Ω, $R_F= 1.2$ kΩ, $R_L= 2.2$ kΩ.

Para efectos de poder obtener la ganancia del amplificador básico, A_{iv}, y la ganancia de la red de realimentación, β_{vi}, se deberá considerar el amplificador realimentado sin resistencias de fuente ni de carga.

a) El tipo de realimentación es corriente-serie y el circuito equivalente en alterna es

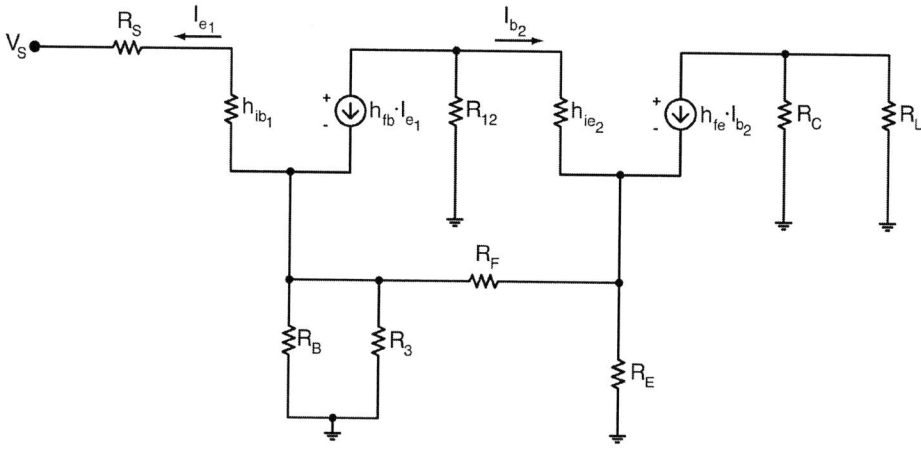

siendo

$$R_{12} = R_1 \parallel R_2 = 942.9\ \Omega$$

$$R_{B3} = R_B \parallel R_3 = 8.9\ \text{k}\Omega$$

La red de realimentación vista desde la entrada queda de la siguiente forma:

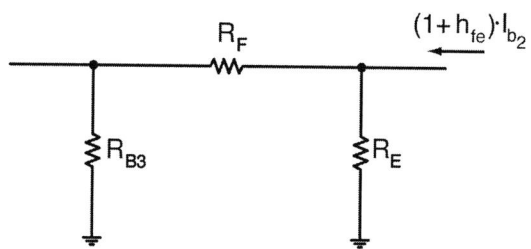

En una primera aproximación, la fuente de corriente $\left(1+h_{fe}\right)I_{b2}$ en paralelo con la resistencia R_E se puede transformar en un circuito equivalente con una fuente de tensión en serie con una resistencia, tal y como se indica a continuación:

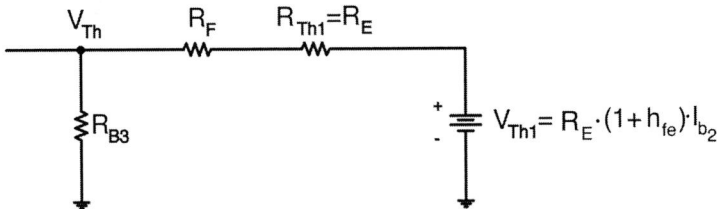

de donde se deduce inmediatamente el circuito equivalente Thévenin de la red de realimentación

$$V_{Th} = \frac{\left(h_{fe}+1\right)\cdot R_E \cdot I_{b2}}{R_F + R_E + R_{B3}}\cdot R_{B3} = 13178\cdot I_{b2}$$

$$R_{Th} = R_{B3}\parallel\left(R_F + R_E\right)=1135\ \Omega$$

Por otro lado, la red de realimentación vista desde la salida se puede expresar mediante una resistencia equivalente del siguiente valor

$$R_{sal} = R_E \parallel\left(R_F + R_{B3}\right)=99\ \Omega$$

De este modo, el nuevo circuito equivalente queda como

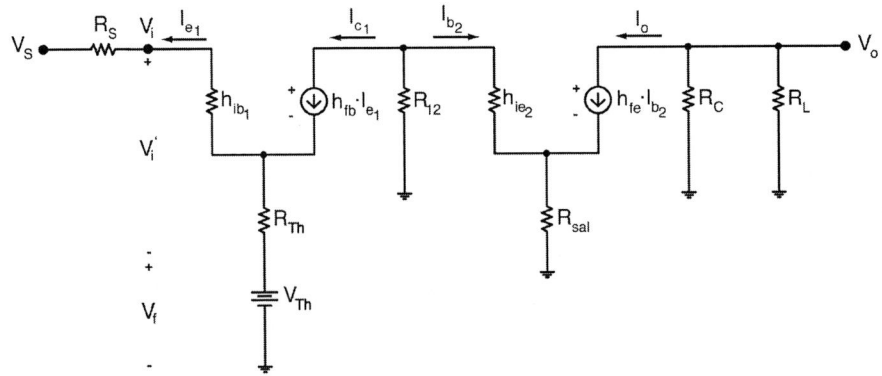

de donde la relación de realimentación viene determinada por

$$\beta_{vi} = \frac{V_f}{I_o} = \frac{13178 \cdot I_{b2}}{h_{fe} \cdot I_{b2}} = 88\,\Omega$$

b) Analizando ahora la etapa de entrada, la etapa intermedia, y la etapa de salida se obtienen las siguientes expresiones:

Etapa de entrada:

$$I_{e1} = I_{c1} + I_{b1}; \quad I_{b1} = I_{e1} - I_{c1} = \left(1 - h_{fb1}\right) \cdot I_{e1}$$

$$V_i' = -I_{e1} \cdot h_{ib1} - I_{b1} \cdot R_{Th} = -I_{e1} \cdot \left[h_{ib1} + \left(1 - h_{fb1}\right) R_{Th}\right]$$

$$V_i' = -I_{e1} \cdot \left[h_{ib1} + \left(1 - \frac{h_{fe}}{h_{fe}+1}\right) \cdot R_{Th}\right]$$

$$V_i' = -I_{e1} \cdot \left[\frac{h_{ie1}}{h_{fe}} + \left(\frac{1}{h_{fe}+1}\right) \cdot R_{Th}\right] = -31.913 \cdot I_{e1}$$

Etapa intermedia:

$$I_{b2} \cdot \left[h_{ie2} + \left(h_{fe}+1\right) R_{sal}\right] = -h_{fb1} \cdot I_{e1} \cdot \left[R_{12} \parallel \left(h_{ie2} + \left(h_{fe}+1\right) R_{sal}\right)\right]$$

$$I_{b2} \cdot 15441 = -888.60 \cdot I_{e1}$$

$$I_{b2} \cdot 17.38 = -I_{e1}$$

Etapa de salida

$$I_o = h_{fe} \cdot I_{b2} = 150 \cdot I_{b2}$$

$$V_o = h_{fe} \cdot I_{b2} \cdot R_C = 150000 \cdot I_{b2}$$

A partir de estas relaciones, la ganancia del amplificador básico se calcula como:

$$A_{iv} = \frac{I_o}{V_i'} = \frac{I_o}{I_{b2}} \cdot \frac{I_{b2}}{I_{e1}} \cdot \frac{I_{e1}}{V_i'} = 150 \cdot \frac{-1}{17.481} \cdot \frac{-1}{31.913} = 0.27\Omega^{-1}$$

Y por tanto, la ganancia del amplificador realimentado es:

$$A_{ivf} = \frac{I_o}{V_i} = \frac{A_{iv}}{1 + \beta_{vi} \cdot A_{iv}} = 0.011\Omega^{-1}$$

c) Las impedancias de entrada y de salida se calculan del siguiente modo

$$Z_i = \frac{V_i'}{I_i} = \frac{V_i'}{-I_{e1}} = \left[\frac{h_{ie1}}{h_{fe}} + \left(\frac{1}{h_{fe}+1} \right) \cdot R_{Th} \right] = 32\Omega$$

$$Z_{if} = Z_i \cdot \left(1 + A_{iv} \cdot \beta_{vi} \right) = 790\ \Omega$$

y

$$Z_o = R_c = 1\,k\Omega$$

$$Z_{of} = Z_o \cdot \left(1 + A_{iv} \cdot \beta_{vi} \right) = 24759\ \Omega$$

d) A partir de los datos obtenidos anteriormente, se puede representar el amplificador realimentado mediante el siguiente cuadripolo equivalente:

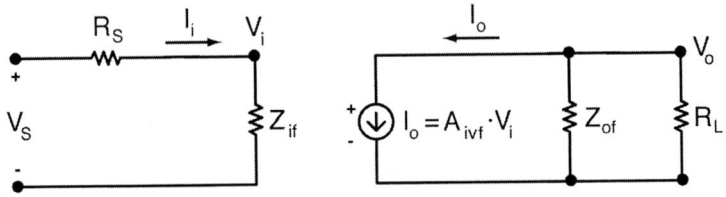

donde se cumplen las siguientes relaciones:

$$V_i = V_s \cdot \frac{Z_{if}}{R_S + Z_{if}} \left.\vphantom{\frac{Z}{Z}}\right\}$$
$$V_o = -I_o \cdot \left(Z_{of} \parallel R_L\right)$$

y a partir de las cuales se puede calcular la ganancia en tensión como:

$$\frac{V_o}{V_s} = \frac{-I_o \cdot \left(Z_{of} \parallel R_L\right)}{V_i \cdot \dfrac{R_S + Z_{if}}{Z_{if}}} = -\frac{I_o}{V_i} \cdot \frac{Z_{if} \cdot \left(Z_{of} \cdot R_L\right)}{(R_S + Z_{if})(Z_{of} + R_L)}$$

$$\frac{V_o}{V_s} = -A_{ivf} \cdot \frac{Z_{if} \cdot \left(Z_{of} \cdot R_L\right)}{\left(R_S + Z_{if}\right)\left(Z_{of} + R_L\right)} = -13.52$$

Problema 8

Determinar la ganancia en tensión del siguiente amplificador reali-mentado.

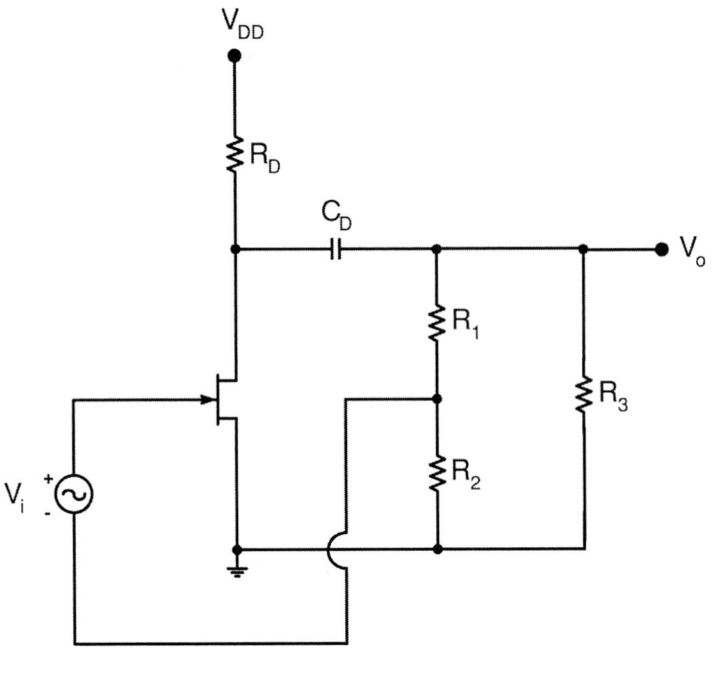

Datos: $r_{ds} \rightarrow \infty$

El circuito equivalente de pequeña señal en alterna es el siguiente

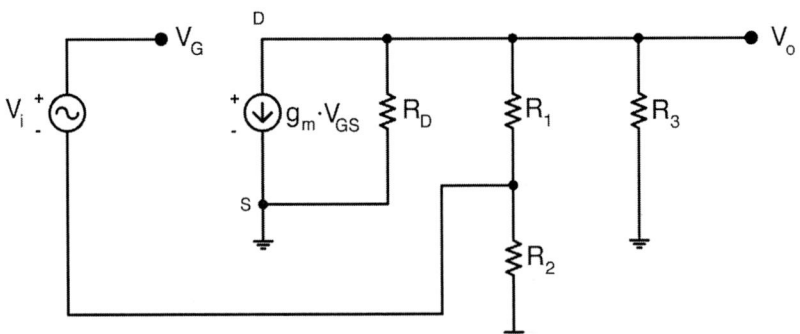

Como se puede observar se trata de una realimentación del tipo tensión -tensión.

A continuación se debe estudiar cómo afecta la red de realimentación a las etapas de entrada y salida respectivamente.

- Etapa de entrada:

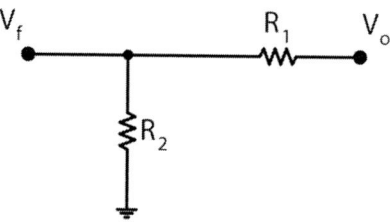

Cuyo circuito equivalente Thévenin se caracterizará por las siguientes ecuaciones:

$$V_{Th} = \frac{R_2}{R_1 + R_2} \cdot V_o \left.\vphantom{\begin{array}{c}1\\2\\3\\4\end{array}}\right\}$$

$$R_{Th} = R_1 \parallel R_2$$

- Etapa de salida:

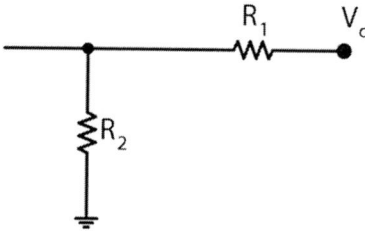

Donde el circuito equivalente se reduce a dos resistencias en serie

$$R_{Sal} = R_1 + R_2$$

De este modo, el nuevo circuito equivalente queda como

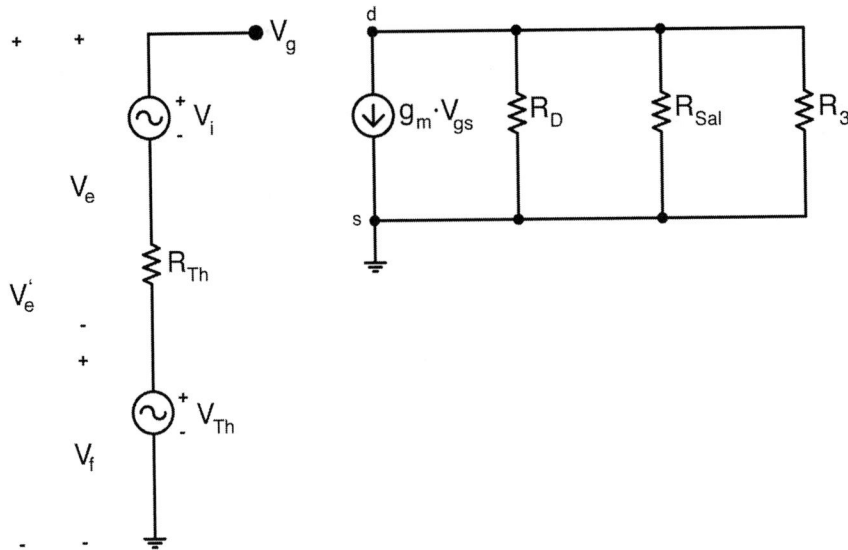

de donde la relación de realimentación viene determinada por

$$\beta_v' = \frac{V_f}{V_o} = \frac{V_{Th}}{V_o} = \frac{R_2}{R_1 + R_2}$$

Y la ganancia del circuito sin realimentación se puede obtener de la siguiente manera.

Para la etapa de entrada se cumple que

$$V_{gs} = V_g - V_s = \left(V_i + V_{R_{Th}}\right) - V_s$$

Como $I_g \approx 0$ A entonces $V_{R_{Th}} \approx 0$ V, y de esta forma.

$$V_{gs} = \left(V_i + 0\right) - 0 = V_i$$

Mientras que para la etapa de salida

$$V_o = -g_m \cdot V_{gs} \cdot \left(R_D \parallel R_{Sal} \parallel R_3\right)$$

Combinando las ecuaciones de ambas etapas se obtiene la ganancia en tensión como

$$A_v = \frac{V_o}{V_e} = \frac{V_o}{V_i} = -g_m \cdot \underbrace{\left(R_D \mid R_{Sal} \mid R_3\right)}_{R_L} = -g_m \cdot R_L$$

De donde finalmente, la ganancia en tensión del circuito realimentado se puede expresar de la siguiente manera:

$$A_{vf} = \frac{V_o}{V_e'} = \frac{A_v}{1 + A_v \cdot \beta_v} = \frac{-g_m \cdot R_L}{1 - g_m \cdot R_L \cdot \dfrac{R_2}{R_1 + R_2}}$$

Problema 9

Dado el siguiente circuito, calcular:

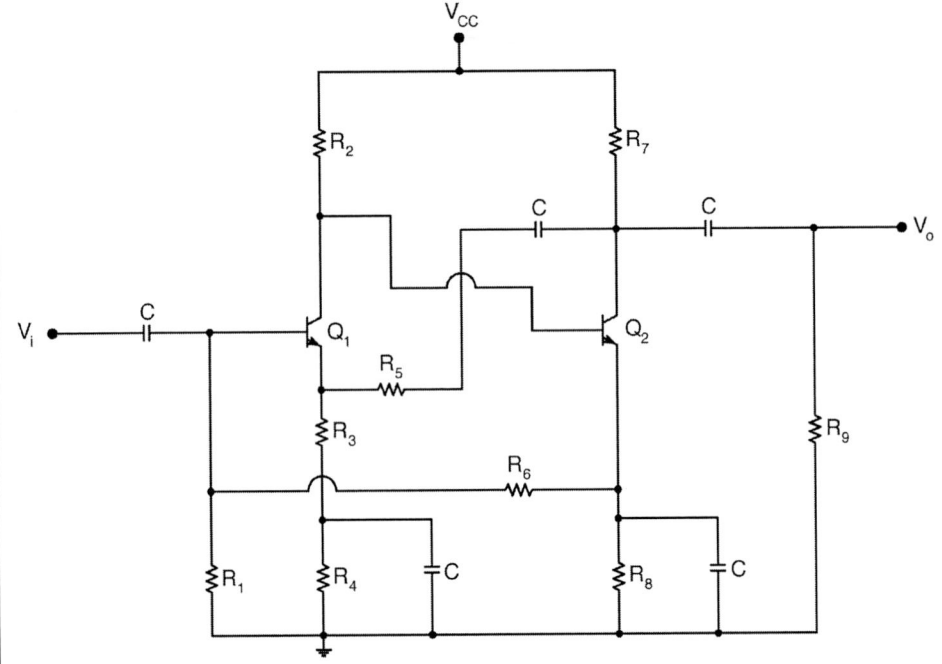

a) Ganancia de lazo $- A_v \cdot \beta_v$.

b) Calcular la impedancia de entrada y de salida.

c) Ganancia de tensión del circuito completo.

Datos: $V_{CC} = 20$ V, $h_{ie} = 2500$ Ω, $h_{fe} = 100$.

$R_1 = 5.6$ kΩ, $R_2 = 12$ kΩ, $R_3 = 82$ Ω, $R_4 = 220$ Ω, $R_5 = 1$ kΩ, $R_6 = 22$ kΩ,
$R_7 = 1$ kΩ, $R_8 = 1$ kΩ, $R_9 = 220$ Ω.

Para efectos de poder obtener la ganancia del amplificador básico, A_v, y la ganancia de la red de realimentación, β_v, se deberá considerar el amplificador realimentado sin resistencia de carga, R_9.

El circuito equivalente de pequeña señal es:

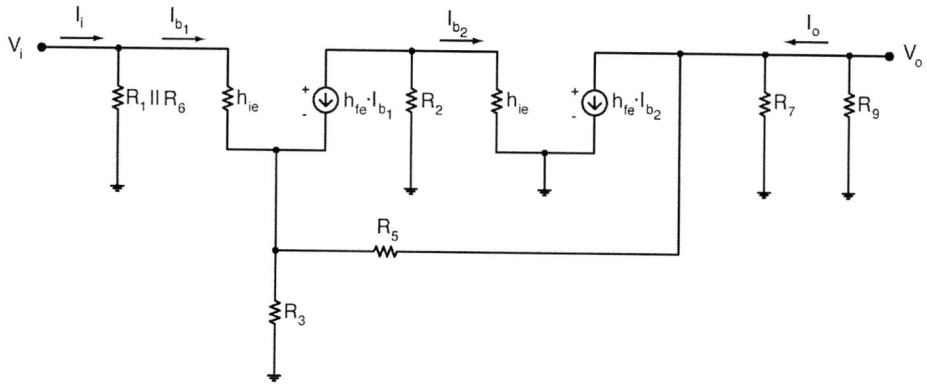

Como se puede observar se trata de una realimentación del tipo tensión -tensión.

A continuación se debe estudiar cómo afecta la red de realimentación a las etapas de entrada y salida respectivamente.

▪ Etapa de entrada:

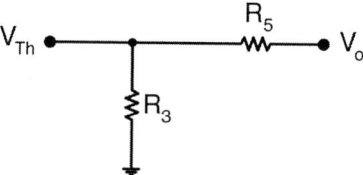

Cuyo circuito equivalente Thévenin se caracterizará por las siguientes ecuaciones:

$$V_{Th} = \frac{R_3}{R_3 + R_5} \cdot V_o = 0.076 \cdot V_o$$

$$R_{Th} = R_3 \| R_5 = 75.8\Omega$$

- Etapa de salida:

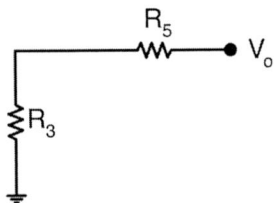

Donde el circuito equivalente es una resistencia de valor

$$R_{sal} = R_5 + R_3 = 1082 \ \Omega$$

De esta manera, el circuito equivalente de pequeña señal en alterna es

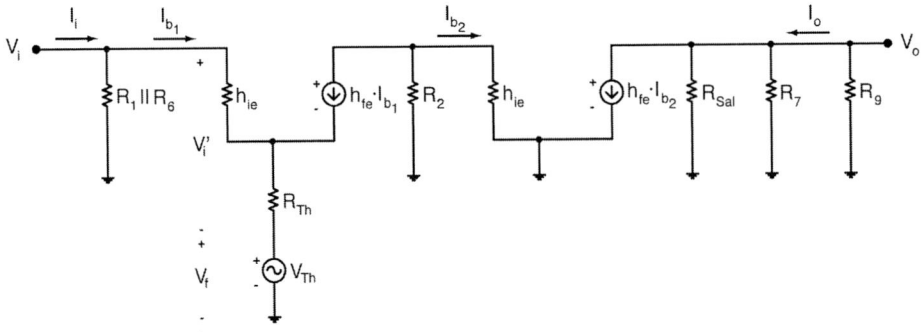

de donde la relación de realimentación viene determinada por

$$\beta_v = \frac{V_f}{V_o} = \frac{V_{Th}}{V_o} = \frac{R_3}{R_3 + R_5} = 0.076$$

Y la ganancia del circuito sin realimentación se puede obtener de la siguiente manera

Etapa de entrada:

$$V_i' = I_{b1} \cdot h_{ie} + \left(1 + h_{fe}\right) \cdot I_{b1} \cdot R_{Th}$$

$$V_i' = I_{b1} \cdot 2500 + 101 \cdot I_{b1} \cdot 75.79 = 10154.75 \cdot I_{b1}$$

Etapa intermedia:

$$I_{b2} \cdot h_{ie} = -h_{fe} \cdot I_{b1} \cdot \left(R_2 \parallel h_{ie}\right)$$

$$I_{b2} \cdot 2500 = -100 \cdot I_{b1} \cdot 2068.97 \quad \Rightarrow \quad I_{b1} = -0.012 \cdot I_{b2}$$

Etapa de salida (sin considerar la resistencia de carga):

$$V_o = -h_{fe} \cdot I_{b2} \cdot \left(R_{sal} \parallel R_7\right)$$

$$V_o = -52000 \cdot I_{b2}$$

Por lo tanto, la ganancia del amplificador básico viene dada por

$$A_v = \frac{V_o}{V_i'} = \frac{V_o}{I_{b2}} \cdot \frac{I_{b2}}{I_{b1}} \cdot \frac{I_{b1}}{V_i'} = \frac{-52000}{-0.012 \cdot 10154.75} = 427$$

a) Ganancia de lazo

$$-A_v \cdot \beta_v = -32$$

b) La impedancia de entrada se calcula como sigue

$$Z_i = \frac{V_i'}{I_{b1}} = h_{ie} + \left(1 + h_{fe}\right) \cdot R_{Th} = 10156 \, \Omega$$

$$Z_{if} = Z_i \cdot \left(1 + A_v \cdot \beta_v\right) = 339739 \, \text{k}\Omega$$

$$Z_e = \left(R_1 \parallel R_6\right) \parallel Z_{if} = 4406 \, \Omega$$

y la de salida del siguiente modo

$$Z_o = R_{sal} \parallel R_7 = 520\ \Omega$$

$$Z_{of} = \frac{Z_o}{1 + A_v \cdot \beta_v} = 16\ \Omega$$

c) La ganancia de tensión del circuito realimentado (sin carga) se calcula mediante la siguiente expresión

$$A_{vf} = \frac{A_v}{1 + A_v \cdot \beta_v} = 13$$

A partir de todos los datos obtenidos anteriormente, se puede representar el amplificador realimentado mediante el siguiente cuadripolo equivalente:

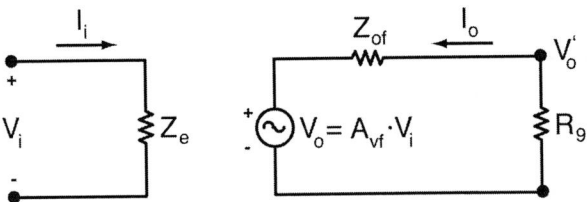

donde se cumple la siguiente relación:

$$V_o' = \frac{R_9}{R_9 + Z_{of}} \cdot V_o$$

y a partir de la cual la ganancia en tensión, considerando la resistencia de carga, se puede calcular como:

$$\frac{V_o'}{V_i} = \frac{\dfrac{R_9}{R_9 + Z_{of}} \cdot V_o}{V_i} = \frac{V_o}{V_i} \cdot \frac{R_9}{R_9 + Z_{of}} =$$

$$\frac{V_o'}{V_i} = A_{vf} \cdot \frac{R_9}{R_9 + Z_{of}} = 12$$

EL AMPLIFICADOR OPERACIONAL: APLICACIONES

Problema 1

En el siguiente circuito amplificador, calcular la tensión de salida V_o
en función de las tensiones de entrada V_1 y V_2.

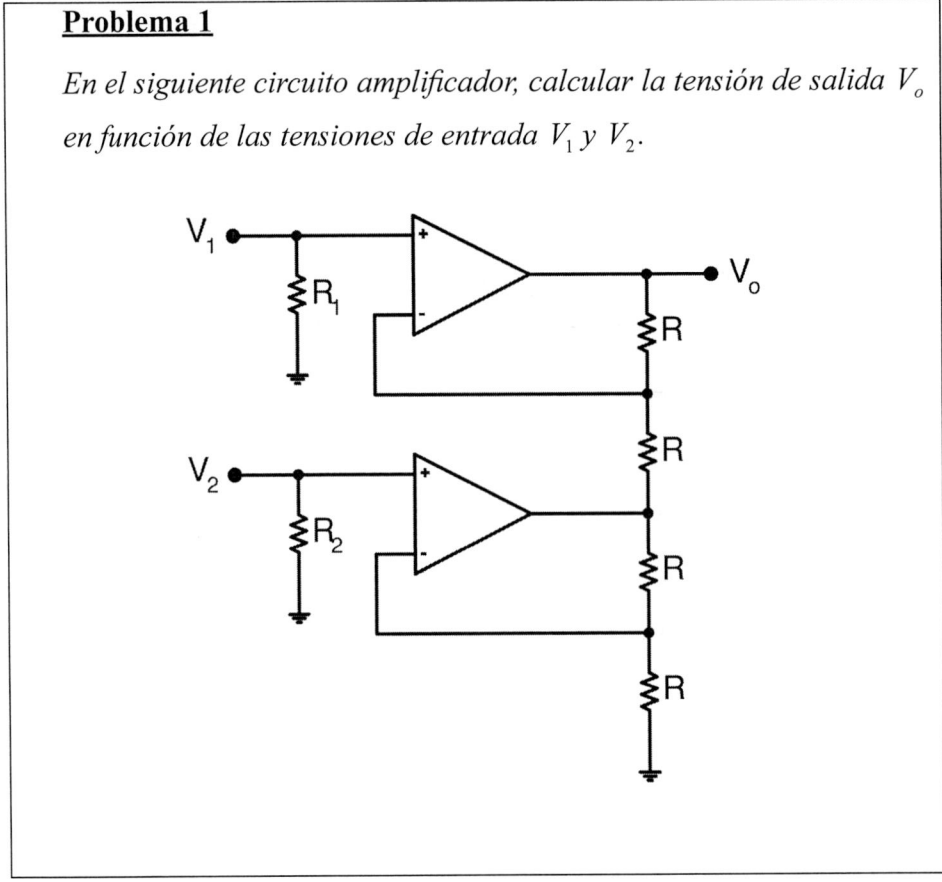

Señalando sobre el circuito las corrientes y tensiones de interés, este que-
daría de la siguiente forma:

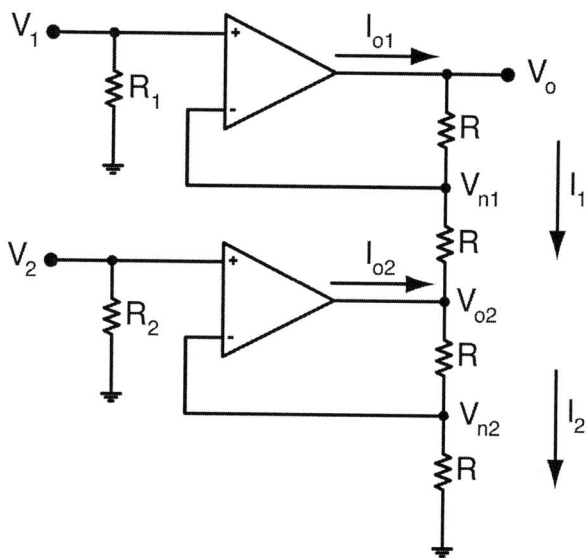

Analizando ahora la rama de resistencias desde V_o a tierra, se obtienen las siguientes expresiones:

$$I_1 = \frac{V_o - V_{n1}}{R} = \frac{V_{n1} - V_{o2}}{R}$$

$$I_2 = \frac{V_{o2} - V_{n2}}{R} = \frac{V_{n2}}{R}$$

Además, dado que los operacionales están realimentados negativamente, se cumple:

$$V_1 = V_{p1} = V_{n1}$$

$$V_2 = V_{p2} = V_{n2}$$

Combinando las expresiones anteriores, se obtiene:

$$V_{o2} = 2V_2$$

y

$$V_o = 2V_1 - V_{o2} = 2V_1 - 2V_2 = 2 \cdot (V_1 - V_2)$$

Problema 2

Sobre el siguiente circuito, hallar:

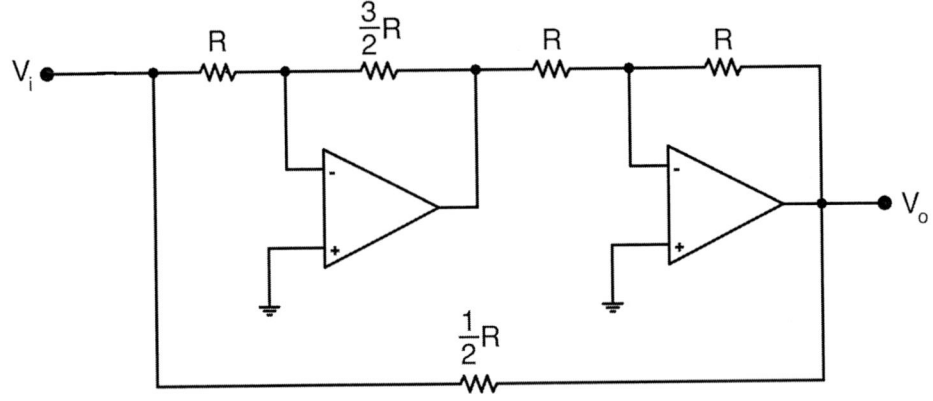

a) La ganancia de tensión A_V en decibelios.

b) La impedancia de entrada Z_i.

c) La impedancia de salida Z_o.

a) Obsérvese la distribución de tensiones y corrientes en el siguiente circuito

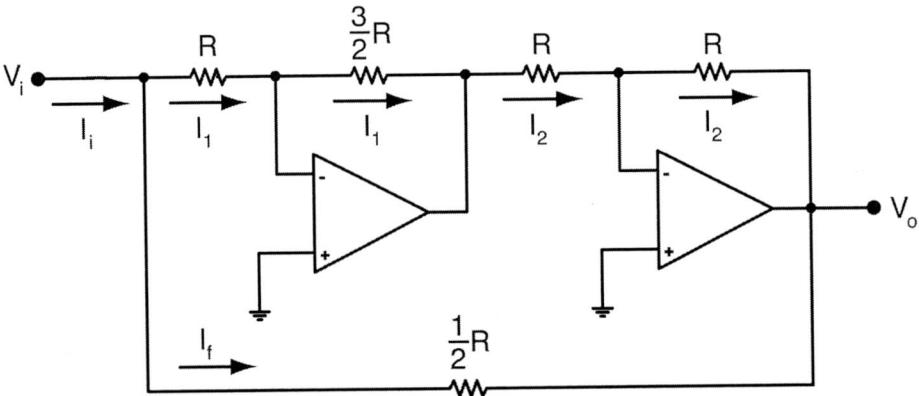

Dado que los operacionales están realimentados negativamente, se cumple:

$$V_{n1} = V_{p1} = 0 \text{ V}$$

$$V_{n2} = V_{p2} = 0 \text{ V}$$

Analizando ahora los nudos V_{n1} y V_{n2}, se obtiene respectivamente:

$$I_1 = \frac{V_i - V_{n1}}{R} = \frac{V_{n1} - V_A}{3 \cdot R / 2} \Rightarrow \frac{V_A}{V_i} = -\frac{\dfrac{3}{2} \cdot R}{R} = -\frac{3}{2} \text{ A}$$

y

$$I_2 = \frac{V_A - V_{n2}}{R} = \frac{V_{n2} - V_o}{R} \Rightarrow \frac{V_o}{V_A} = -\frac{R}{R} = -1 \text{ A}$$

Combinando ahora las dos anteriores ecuaciones, se obtiene directamente la ganancia en tensión

$$\frac{V_o}{V_i} = \frac{V_o}{V_A} \cdot \frac{V_A}{V_i} = \frac{3}{2}$$

y expresada en decibelios

$$A_V(dB) = 20 \cdot \log \frac{V_o}{V_i} = 3.5 \text{ dB}$$

b) Analizando el nudo de entrada se tiene:

$$I_i = I_1 + I_f$$

donde

$$I_1 = \frac{V_i - V_{n1}}{R} = \frac{V_i}{R}$$

y

$$I_f = \frac{V_i - V_o}{R/2} = \frac{V_i - \frac{3}{2}V_i}{R/2}$$

De esta forma la corriente de entrada queda como

$$I_i = \frac{V_i}{R} + \frac{V_i - \frac{3}{2} \cdot V_i}{\frac{R}{2}} = V_i \cdot \left(\frac{1}{R} - \frac{1}{R} \right)$$

y por tanto, la impedancia de entrada es

$$Z_i = \frac{V_i}{I_i} = \frac{1}{\frac{1}{R} - \frac{1}{R}} = \infty \ \Omega$$

c) Por último, la impedancia de salida será

$$Z_o = 0 \ \Omega$$

Problema 3

Dado el siguiente circuito, calcular la tensión de salida V_o teniendo en cuenta que $R_S = R \cdot (1 + \alpha)$.

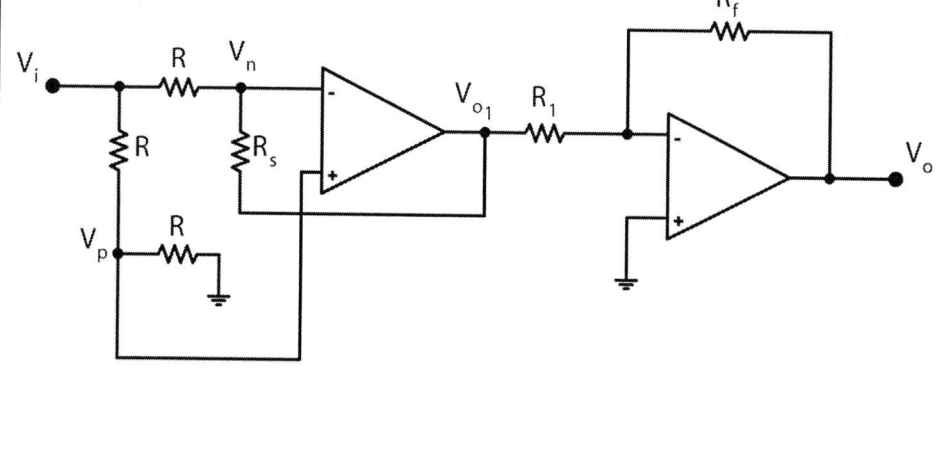

Analizando el circuito asociado al primer operacional, se obtienen las siguientes relaciones:

$$V_p = \frac{V_i}{2}$$

$$\frac{V_i - V_n}{R} = \frac{V_n - V_{o1}}{R_S}$$

$$V_n = V_p$$

de donde substituyendo el valor de V_n en la segunda ecuación, se obtiene:

$$\frac{V_i}{2R} = \frac{V_i - 2 \cdot V_{o1}}{2R_S}$$

y despejando

$$V_{o1} = \frac{2R \cdot V_i - 2R_S \cdot V_i}{4R}$$

Substituyendo ahora el valor de R_S se obtiene

$$V_{o1} = \frac{2R \cdot V_i - 2 \cdot R \cdot [1 + \alpha] \cdot V_i}{4R} = -\frac{1}{2} \cdot V_i \cdot \alpha$$

Por último, analizando el circuito asociado al segundo operacional se obtiene la siguiente relación:

$$V_o = -V_{o1} \cdot \frac{R_f}{R_1}$$

de donde

$$V_o = -\frac{1}{2} \cdot V_i \cdot \frac{R_f}{R_1} \cdot \alpha$$

Problema 4

Calcular en el siguiente circuito la resistencia de entrada Z_i.

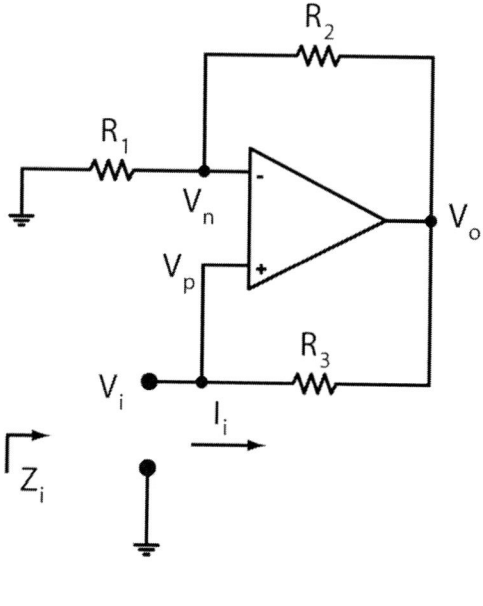

Observando la distribución de corrientes y tensiones en el circuito, se desprenden las siguientes ecuaciones:

$$V_n = V_p = V_i$$

$$I_i = \frac{V_i - V_o}{R_3}$$

$$\frac{V_o - V_i}{R_2} = \frac{V_i}{R_1}$$

de donde

$$V_o = \left(1 + \frac{R_2}{R_1}\right) \cdot V_i$$

y

$$I_i = \frac{V_i - \left(1 + \dfrac{R_2}{R_1}\right) \cdot V_i}{R_3} = \frac{V_i \cdot [R_1 - R_1 - R_2]}{R_1 \cdot R_3}$$

Con lo cual

$$Z_i = \frac{V_i}{I_i} = -\frac{R_1 \cdot R_3}{R_2}$$

Problema 5

Sobre el siguiente circuito, calcular:

a) La impedancia de entrada Z_i.

b) El valor del condensador necesario en el lugar de la impedancia Z para tener una inductancia de 0.1 H si $R_1 = R_2 = 1$ kΩ.

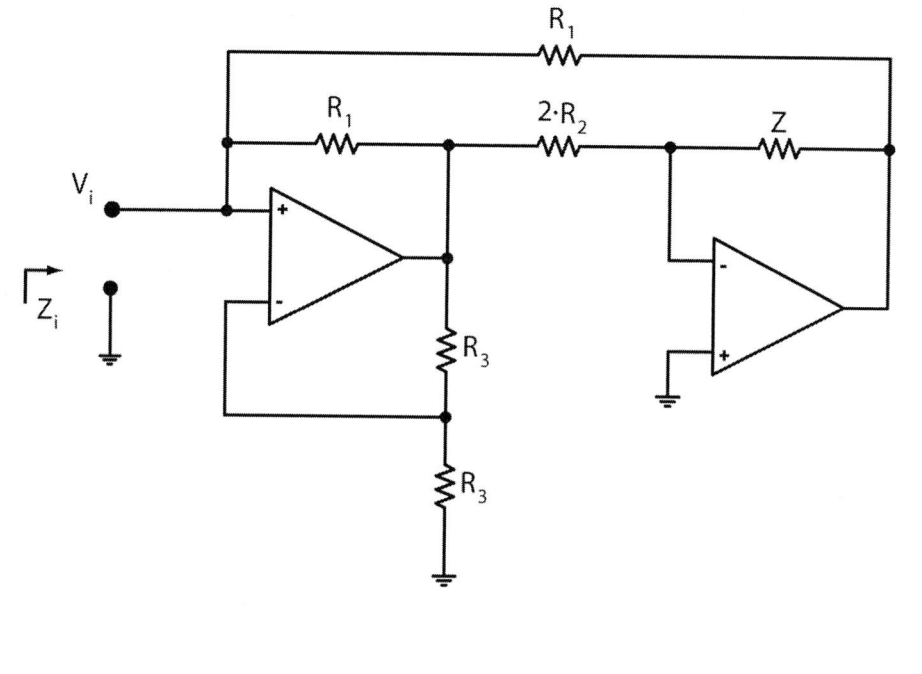

a) Obsérvese la distribución de corrientes y tensiones en el circuito

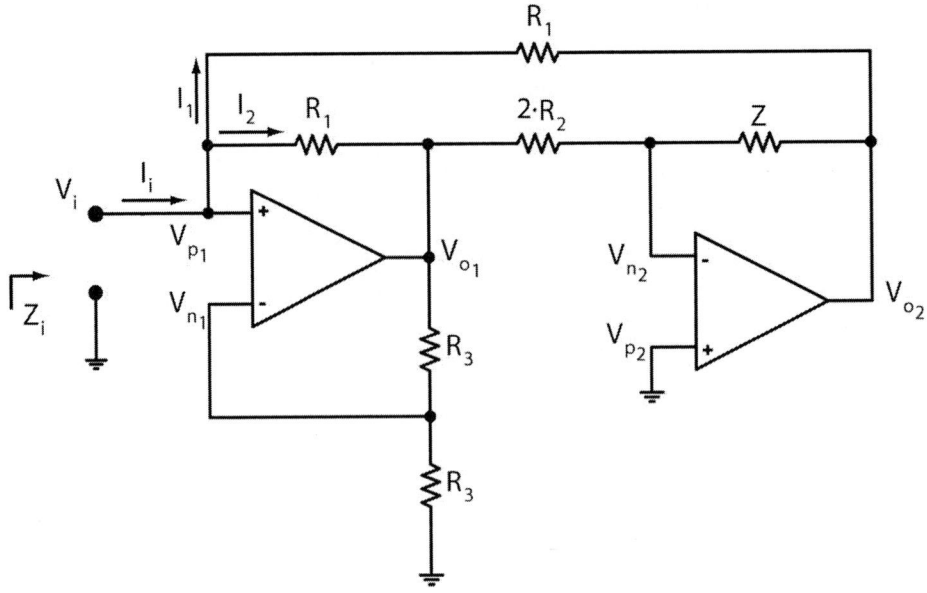

de aquí se desprende que

$$V_i = V_{p1} = V_{n1} = \frac{V_{o1}}{2} \quad y \quad V_{p2} = V_{n2} = 0$$

$$V_{o2} = -\frac{Z}{2 \cdot R_2} \cdot V_{o1} = -\frac{Z}{R_2} \cdot V_i$$

$$I_i = I_1 + I_2 = \frac{V_i - V_{o2}}{R_1} + \frac{V_i - V_{o1}}{R_1}$$

Y sustituyendo V_{o1} y V_{o2} se obtiene

$$I_i = \frac{V_i + \dfrac{Z}{R_2} \cdot V_i}{R_1} + \frac{V_i - 2 \cdot V_i}{R_1}$$

de donde

$$Z_i = \frac{V_i}{I_i} = \frac{R_1 \cdot R_2}{Z}$$

b) Sustituyendo

$$Z_i = j \cdot \omega \cdot L \quad y \quad Z = \frac{1}{j \cdot \omega \cdot C}$$

se obtiene que

$$j \cdot \omega \cdot L = \frac{R_1 \cdot R_2}{\dfrac{1}{j \cdot \omega \cdot C}} \quad \Rightarrow \quad C = \frac{L}{R_1 \cdot R_2} = 100 \text{ nF}$$

Problema 6

Calcular la impedancia de entrada del siguiente convertidor de impe-dancia generalizado.

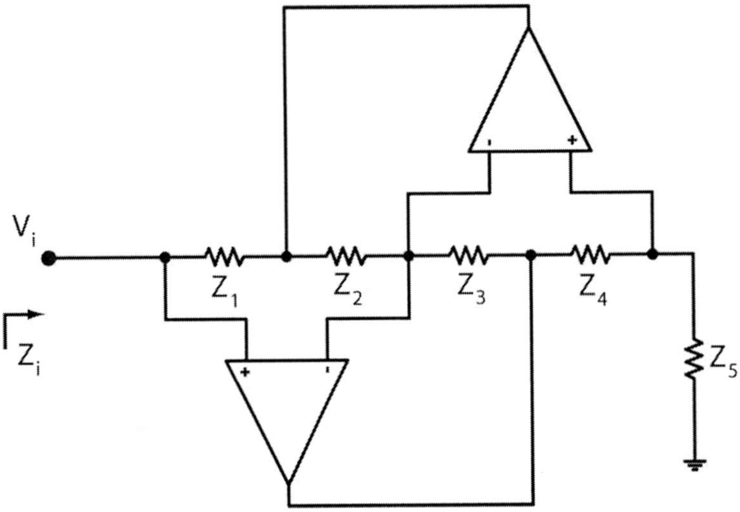

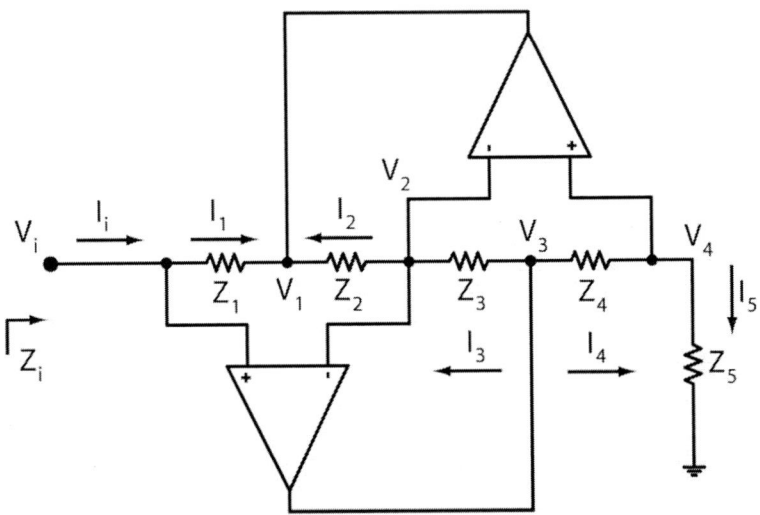

Para ello primero se muestra la correspondiente distribución de corrientes y tensiones en el circuito de donde analizando los diferentes nudos y ramas del circuito se obtienen las siguientes relaciones:

Nudo de entrada:

$$I_i = I_1$$

$$I_1 = \frac{V_i - V_1}{Z_1} \tag{1}$$

Nudo V_2:

$$I_2 = I_3$$

$$I_2 = \frac{V_i - V_1}{Z_2} \quad e \quad I_3 = \frac{V_3 - V_i}{Z_3}$$

$$V_1 = \frac{V_i \cdot (Z_2 + Z_3) - V_3 \cdot Z_2}{Z_3} \tag{2}$$

Nudo V_4:

$$I_4 = I_5$$

$$I_4 = \frac{V_3 - V_i}{Z_4} \quad e \quad I_5 = \frac{V_i}{Z_5}$$

$$V_3 = V_i \cdot \frac{Z_4 + Z_5}{Z_5} \tag{3}$$

Ahora, substituyendo la ecuación (3) en (2) se tiene

$$V_1 = V_i \cdot \frac{Z_5 \cdot (Z_2 + Z_3) - Z_2 \cdot (Z_4 + Z_5)}{Z_3 \cdot Z_5} \tag{4}$$

Por último, la impedancia de entrada se calculará como:

$$Z_i = \frac{V_i}{I_i}$$

donde substituyendo la ecuación (4) en la ecuación (1) y despejando la relación entre V_i e I_i se tiene finalmente la siguiente expresión:

$$Z_i = Z_5 \cdot \frac{Z_1 \cdot Z_3}{Z_2 \cdot Z_4}$$

Problema 7

Para el circuito de la figura, determinar la tensión de salida V_o, a partir de la tensión de entrada V_i indicada. Calcular también la impedancia de entrada del circuito y decir qué función realiza.

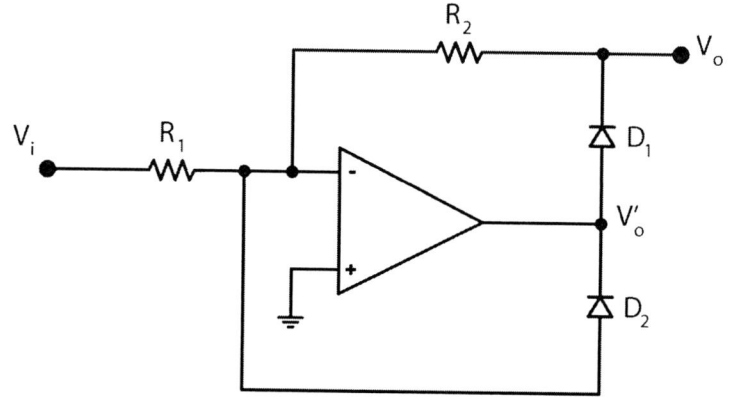

Datos: $R_1 = R_2 = 10$ kΩ, $V_i = 5 \cdot sen(100 \cdot \pi \cdot t)$ y $V_D = 0$ V.

Pueden darse dos casos:

1) $V_i \geq 0$ V y, en este caso, el resultado es el siguiente

$$V_o' < 0 \text{ V} \quad \Rightarrow \quad \begin{matrix} D1 & OFF \\ D2 & ON \end{matrix} \quad \Rightarrow \quad V_o = 0 \text{ V}$$

siendo V_o' la tensión entre ambos diodos.

2) $V_i < 0$ V y, en este caso, el resultado es el siguiente

$$V_o' > 0 \text{ V} \quad \Rightarrow \quad \begin{matrix} D1 & ON \\ D2 & OFF \end{matrix} \quad \Rightarrow \quad V_o = -V_i \cdot \frac{R_2}{R_1}$$

siendo V_o' la tensión entre ambos diodos.

El circuito se comporta como un rectificador inverso de media onda con impedancia de entrada

$$Z_i = R_1 = 10 \text{ k}\Omega$$

Problema 8

Determinar la función de transferencia del siguiente filtro e indicar de qué tipo es.

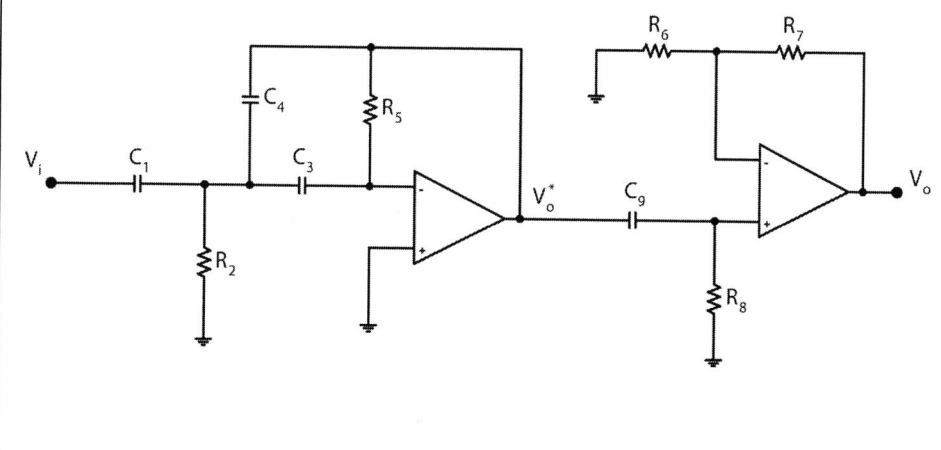

Filtro de segundo orden:

Analizando el nudo V (común a C_1, R_2, C_3 y C_4) se obtiene:

$$\frac{V_i - V}{Z_1} = \frac{V}{Z_2} + \frac{V}{Z_3} + \frac{V - V_o^*}{Z_4}$$

y

$$\frac{V_i}{Z_1} + \frac{V_o^*}{Z_4} = V \cdot \left(\frac{1}{Z_2} + \frac{1}{Z_3} + \frac{1}{Z_4} + \frac{1}{Z_1} \right) \tag{1}$$

Ahora, teniendo en cuenta que toda la corriente que pasa por Z_3 pasa también por Z_5 se tiene:

$$\frac{V}{Z_3} = -\frac{V_o^*}{Z_5}$$

$$V = -\frac{Z_3}{Z_5} \cdot V_o^*$$

Substituyendo V en la ecuación (1) y agrupando términos:

$$\frac{V_i}{Z_1} = -V_o^* \left(\left(\frac{1}{Z_2} + \frac{1}{Z_3} + \frac{1}{Z_4} + \frac{1}{Z_1} \right) \cdot \frac{Z_3}{Z_5} + \frac{1}{Z_4} \right)$$

Y por tanto la ganancia de la primera etapa será:

$$\frac{V_o^*}{V_i} = -\frac{1}{Z_1 \cdot \left(\left(\dfrac{1}{Z_2} + \dfrac{1}{Z_3} + \dfrac{1}{Z_4} + \dfrac{1}{Z_1} \right) \cdot \dfrac{Z_3}{Z_5} + \dfrac{1}{Z_4} \right)}$$

Sustituyendo el valor de las impedancias, se obtiene

$$\frac{V_o^*}{V_i} = -\frac{1}{\dfrac{1}{sC_1} \cdot \left(\left(\dfrac{1}{R_2} + sC_3 + sC_4 + sC_1 \right) \cdot \dfrac{1}{sC_3 R_5} + sC_4 \right)}$$

de donde

$$\frac{V_o^*}{V_i} = -\frac{s^2 C_1 C_3 R_5 R_2}{1 + sR_2 \left(C_3 + C_4 + C_1 \right) + s^2 C_3 R_5 R_2 C_4}$$

Filtro de primer orden:

Analizando el nudo V^* (común a R_8, C_9) se tiene:

$$\frac{V_o^* - V^*}{Z_9} = \frac{V^*}{Z_8}$$

Teniendo en cuenta que la tensión en el terminal inversor es también igual a V^* entonces:

$$V^* = V_o \cdot \frac{R_6}{R_6 + R_7}$$

Combinando estas dos ecuaciones:

$$\frac{V_o}{V_o^*} = \left(1 + \frac{R_7}{R_6}\right) \cdot \frac{1}{\left(1 + \dfrac{Z_9}{Z_8}\right)}$$

Sustituyendo el valor de cada impedancia

$$\frac{V_o}{V_o^*} = \left(1 + \frac{R_7}{R_6}\right) \cdot \frac{sC_9R_8}{1 + sC_9R_8}$$

Por lo tanto, la función de transferencia global es:

$$\frac{V_o}{V_i} = -\frac{s^2C_1C_3R_5R_2}{1 + sR_2(C_3 + C_4 + C_1) + s^2C_3R_5R_2C_4} \cdot \left(1 + \frac{R_7}{R_6}\right) \cdot \frac{sC_9R_8}{1 + sC_9R_8}$$

Dado que tanto el filtro de segundo orden como el filtro de primer orden son dos filtros paso alto, el filtro global es también un filtro paso alto.

Problema 9

Diseñar un filtro paso bajo con una frecuencia de corte $f_c = 10\,\text{kHz}$, una pendiente de 80 dB/dec y una banda pasante lo más plana posible. Datos: $R_3 = R_4 = R$ y $C_2 = 100 \cdot C_5 = 100\,nF.$

Utilizar para ello una o más células de Rauch.

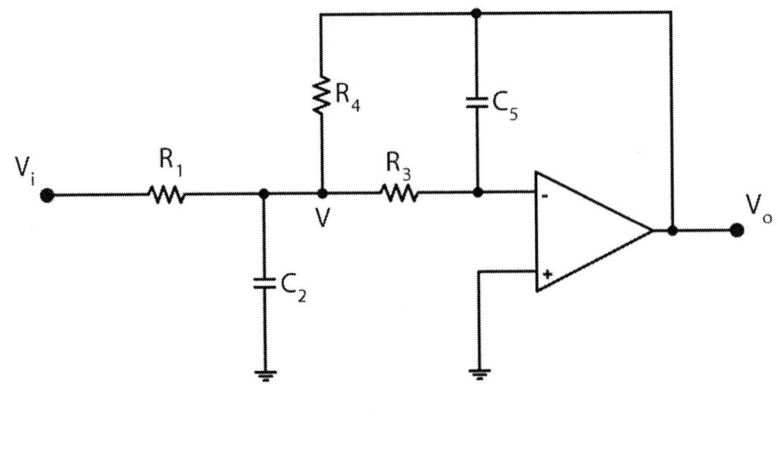

Polinomios de Butterworth factorizados.

n	$D_n(s)$
1	$(s+1)$
2	$(s^2 + 1.414s + 1)$
3	$(s+1)\cdot(s^2 + s + 1)$
4	$(s^2 + 0.765s + 1)\cdot(s^2 + 1.848s + 1)$
5	$(s+1)\cdot(s^2 + 0.618s + 1)\cdot(s^2 + 1.618s + 1)$
6	$(s^2 + 0.518s + 1)\cdot(s^2 + 1.414s + 1)\cdot(s^2 + 1.932s + 1)$

Polinomios de Bessel factorizados.

n	$B_n(0)$	$D_n(s)$
1	1	$(s+1)$
2	3	(s^2+3s+3)
3	15	$(s+2.3222)\cdot(s^2+3.6778s+6.4594)$
4	105	$(s^2+5.7924s+9.1401)\cdot(s^2+4.2076s+11.4878)$
5	945	$(s+3.6467)\cdot(s^2+6.7039s+14.2725)\cdot(s^2+4.6493s+18.1563)$
6	10395	$(s^2+8.4967s+18.8011)\cdot(s^2+7.4714s+20.8528)\cdot(s^2+5.0319s+26.514)$

Polinomios de Chebyshev.

n	$C_n(\omega)$
0	1
1	ω
2	$2\omega^2-1$
3	$4\omega^3-3\omega$
4	$8\omega^4-8\omega^2+1$
5	$16\omega^5-20\omega^3+5\omega$
6	$32\omega^6-48\omega^4+18\omega^2-1$

Si se desea tener una respuesta lo más plana posible en la banda pasante, entonces se diseñará un filtro Butterworth.

Estos tipos de filtros presentan una caída de 20 dB/dec/orden. Como nos dicen que el filtro debe presentar una caída de 80 dB/dec, entonces el filtro debe de ser de orden 4.

Y observando las tablas que nos dan, el polinomio de Butterworth de 4.º orden es:

$$D_4(s) = (s^2 + 0.765s + 1)(s^2 + 1.848s + 1)$$

Por tanto, el filtro se podrá diseñar a partir de dos células de segundo orden de Rauch (o de Sallen Key).

Utilizando la función de transferencia general que se obtuvo para el filtro de segundo orden del problema 8,

$$\frac{V_o^*}{V_i} = -\frac{1}{Z_1 \cdot \left(\left(\dfrac{1}{Z_2} + \dfrac{1}{Z_3} + \dfrac{1}{Z_4} + \dfrac{1}{Z_1}\right)\dfrac{Z_3}{Z_5} + \dfrac{1}{Z_4}\right)}$$

y teniendo en cuenta la relación de impedancias que se indican en este problema, resulta:

$$\frac{V_o^*}{V_i} = -\frac{\dfrac{R}{R_1}}{1 + R^2 C_5 \cdot \left(\dfrac{2}{R} + \dfrac{1}{R_1}\right) \cdot s + 100 \cdot R^2 \cdot C_5^2 \cdot s^2}$$

Comparando esta expresión con la función de transferencia estándar de un filtro paso bajo de segundo orden:

$$\frac{V_o^*}{V_i} = \frac{A_o}{1 + 2a\left(\dfrac{s}{\omega_o}\right) + \left(\dfrac{s}{\omega_o}\right)^2}$$

e identificando cada uno de los coeficientes de s^2 y s se puede obtener el valor de R y R_1 para cada una de las etapas.

<u>1.ª etapa.</u>

- Coeficiente de s^2. Se deduce que

$$\omega_o = \frac{1}{10 \cdot R \cdot C_5}$$

de donde

$$R = \frac{1}{2\pi \cdot f_o \cdot 10 \cdot C_5} = 1591.6\,\Omega$$

- Coeficiente de s. Se deduce que

$$2a = \frac{R}{10} \cdot \left(\frac{2}{R} + \frac{1}{R_1} \right) = 0.765$$

de donde

$$R_1 = \frac{R}{7.65 - 2} = 281.7\,\Omega$$

<u>2.ª etapa.</u>

- Coeficiente de s^2.

$$\omega_o = \frac{1}{10 \cdot R \cdot C_5}$$

de donde

$$R = \frac{1}{2\pi \cdot f_o \cdot 10 \cdot C_5} = 1591.6\,\Omega$$

- Coeficiente de s

$$2a = \frac{R}{10} \cdot \left(\frac{2}{R} + \frac{1}{R_1} \right) = 1.848$$

de donde

$$R_1 = \frac{R}{18.48 - 2} = 96.6 \, \Omega$$

Problema 10

Para el siguiente circuito, calcular las frecuencias de corte y la ganancia en la banda pasante (en dB).

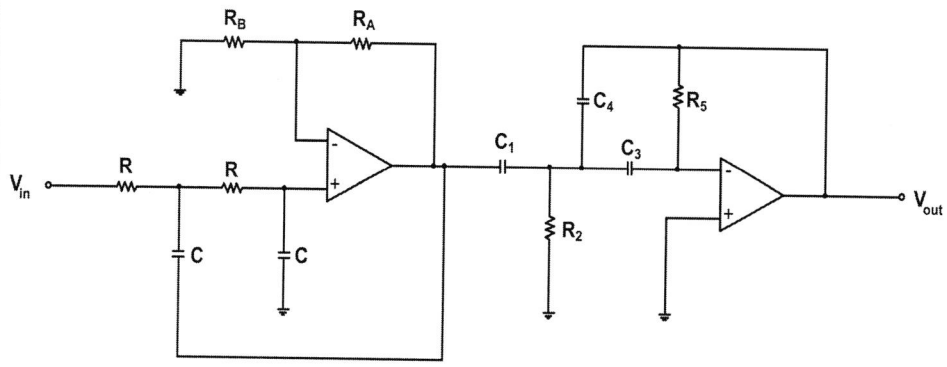

Datos:

$R_B = 1 \text{ k}\Omega$ $C_1 = 1 \text{ }\mu\text{F}$

$R_A = 9 \text{ k}\Omega$ $R_2 = 2.5 \text{ k}\Omega$

$R = 160 \text{ }\Omega$ $C_3 = C_4 = 1 \text{ }\mu\text{F}$

$C = 1 \text{ }\mu\text{F}$ $R_5 = 1 \text{ k}\Omega$

En este circuito se distinguen claramente dos partes: la primera de ellas es una célula de Sallen-Key, mientras que la segunda es una célula de Rauch.

Para el análisis global del circuito se pueden analizar por separado cada una de las células y después combinar los resultados, teniendo en cuenta que ambas células están conectadas en cascada.

Célula de Sallen-Key

La función de transferencia de esta célula es

$$\frac{V_o}{V_i} = \frac{1 + \dfrac{R_A}{R_B}}{1 + \left(\left(2 - \dfrac{R_A}{R_B}\right) \cdot RC\right) \cdot s + (RC)^2 \cdot s^2}$$

En este caso, esta función de transferencia se corresponde con la de un filtro paso bajo, a partir de la cual, comparando término a término con la función de transferencia estándar de un filtro paso bajo de segundo orden, se pueden obtener los siguientes parámetros:

$$\omega_o = \frac{1}{RC}$$

$$A_o = 1 + \frac{R_A}{R_B}$$

$$a = 1 - \frac{R_A}{2R_B}$$

De esta forma se obtiene una ganancia $|A_o| = 10$ y una frecuencia de corte $f_o = 995 \, Hz$.

Célula de Rauch

La función de transferencia de esta célula es

$$\frac{V_o}{V_i} = \frac{-R_2 \cdot R_5 \cdot C_1 \cdot C_3 \cdot s^2}{1 + R_2 \cdot (C_1 + C_3 + C_4) \cdot s + R_2 \cdot R_5 \cdot C_3 \cdot C_4 \cdot s^2}$$

En este caso, esta función de transferencia se corresponde con la de un filtro paso alto, a partir de la cual, comparando término a término con la función de transferencia estándar de un filtro paso alto de segundo orden, se pueden obtener los siguientes parámetros:

$$\omega_o = \frac{1}{\sqrt{R_2 \cdot R_5 \cdot C_3 \cdot C_4}}$$

$$A_o = -\frac{C_1}{C_4}$$

$$a = \frac{R_2 \cdot (C_1 + C_3 + C_4)}{2 \cdot \sqrt{R_2 \cdot R_5 \cdot C_3 \cdot C_4}}$$

De esta forma se obtiene una ganancia $|A_o| = 1$ y una frecuencia de corte $f_o = 101$ Hz.

Sistema global

Analizando las dos células, se puede llegar a la conclusión de que se trata de un filtro paso banda con frecuencias de corte $f_{c \, \text{inf}} = 101$ Hz y $f_{c \, \text{sup}} = 995$ Hz; y con una amplitud en la banda pasante de $|A_o|(dB) = 20$ dB.

Problema 11

Dado el siguiente circuito

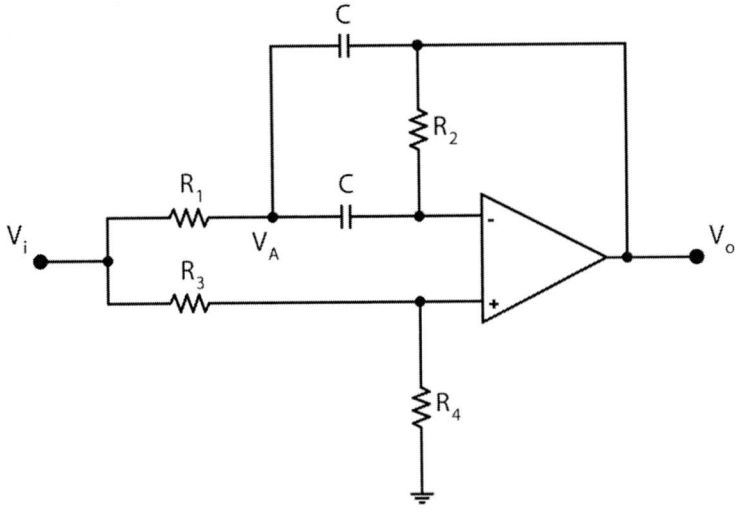

a) Calcular la función de transferencia del circuito.

b) Determinar la condición que se debe cumplir para que este circuito se comporte como un filtro paso todo. En este caso, calcular las expresiones que determinan la respuesta en frecuencia del sistema, $|H(\omega)|$ y $\arg[H(\omega)]$.

c) Determinar la condición que se debe cumplir para que este circuito se comporte como un filtro de rechazo de banda. En este caso, calcular las expresiones que nos proporcionan la frecuencia de resonancia ω_o, el factor de calidad Q, y el factor de ganancia A_o.

a) En el terminal no inversor se tiene

$$V_p = \frac{R_4}{R_3 + R_4} \cdot V_i = k \cdot V_i$$

Teniendo en cuenta que $V_p = V_n$, al realizar un balance de corrientes en el nudo A se tiene

$$\frac{V_i - V_A}{R_1} = (V_A - V_o) \cdot C \cdot s + (V_A - V_p) \cdot C \cdot s$$

y despejando

$$V_i - V_A = (V_A - V_o) \cdot R_1 \cdot C \cdot s + (V_A - V_p) \cdot R_1 \cdot C \cdot s$$

$$V_o \cdot R_1 \cdot C \cdot s = (R_1 \cdot C \cdot s + R_1 \cdot C \cdot s + 1) \cdot V_A - (k \cdot R_1 \cdot C \cdot s + 1) \cdot V_i$$

por lo tanto

$$V_o \cdot C \cdot s = \left(2 \cdot C \cdot s + \frac{1}{R_1}\right) \cdot V_A - \left(k \cdot C \cdot s + \frac{1}{R_1}\right) \cdot V_i$$

De la misma manera, en el nudo correspondiente al terminal inversor resulta

$$(V_A - V_p) \cdot C \cdot s = \frac{V_p - V_o}{R_2}$$

$$R_2 \cdot C \cdot s \cdot V_A - R_2 \cdot C \cdot s \cdot k \cdot V_i = k \cdot V_i - V_o$$

$$C \cdot s \cdot V_A = k \cdot \left(C \cdot s + \frac{1}{R_2}\right) \cdot V_i - \frac{V_o}{R_2}$$

eliminando V_A en las dos ecuaciones señaladas y despejando resulta

$$A(s) = \frac{V_o}{V_i} = k \cdot \frac{R_1 \cdot R_2 \cdot C^2 \cdot s^2 + \left[2 \cdot R_1 + \left(1 - \frac{1}{k}\right) \cdot R_2\right] \cdot C \cdot s + 1}{R_1 \cdot R_2 \cdot C^2 \cdot s^2 + 2 \cdot R_1 \cdot C \cdot s + 1}$$

b) Para que la función de transferencia anterior se corresponda con la de un filtro pasa todo, el coeficiente de s del numerador debe ser igual y de signo contrario al del denominador, lo cual implica que

$$2 \cdot R_1 + \left(1 - \frac{R_3 + R_4}{R_4}\right) \cdot R_2 = -2 \cdot R_1$$

$$4 \cdot R_1 = \frac{R_3}{R_4} \cdot R_2$$

$$4 \cdot \frac{R_1}{R_2} = \frac{R_3}{R_4}$$

En este caso se cumple que

$$|H(\omega)| = k$$

y

$$\arg[H(\omega)] = -2 \cdot arctag\left[\frac{2 \cdot R_1 \cdot C \cdot \omega}{1 + R_1 \cdot R_2 \cdot C^2 \cdot \omega^2}\right]$$

c) Para que la función de transferencia anterior se corresponda con la de un filtro de rechazo de banda, el coeficiente de s del numerador debe ser igual a cero. En este caso, se tiene

$$2 \cdot R_1 + \left(1 - \frac{R_3 + R_4}{R_4}\right) \cdot R_2 = 0$$

$$2 \cdot R_1 - \frac{R_3}{R_4} \cdot R_2 = 0$$

$$2 \cdot \frac{R_1}{R_2} = \frac{R_3}{R_4}$$

De la función de transferencia se deduce también

- Frecuencia de resonancia

$$\omega_o = \frac{1}{C \cdot \sqrt{R_1 \cdot R_2}}$$

- Factor de calidad

$$\frac{2 \cdot a}{\omega_o} = 2 \cdot R_1 \cdot C \quad \Rightarrow \quad 2 \cdot a = 2 \cdot R_1 \cdot C \cdot \frac{1}{C \cdot \sqrt{R_1 \cdot R_2}}$$

de donde

$$Q = \frac{1}{2 \cdot a} = \frac{1}{2} \cdot \sqrt{\frac{R_2}{R_1}}$$

- Factor de ganancia

$$A_o = k = \frac{R_4}{R_3 + R_4}$$

Problema 12

Diseñar un filtro paso bajo con una frecuencia de corte $f_c = 10$ kHz, *una pendiente de* 80 dB/dec *y una banda pasante lo más plana posible. Utilizar para ello una o más células de Rauch.*

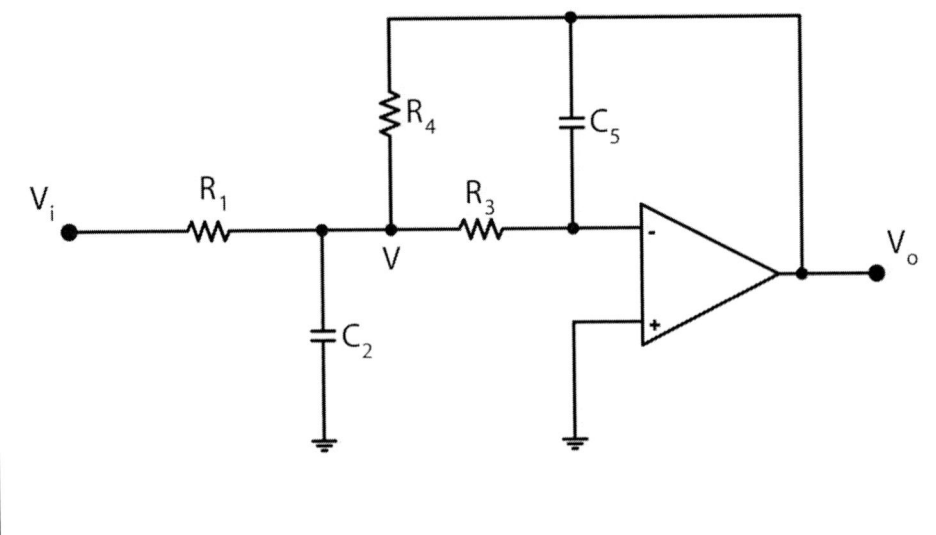

Polinomios de Butterworth factorizados.

n	$D_n(s)$
1	$(s+1)$
2	$(s^2 + 1.414s + 1)$
3	$(s+1)\cdot(s^2 + s + 1)$
4	$(s^2 + 0.765s + 1)\cdot(s^2 + 1.848s + 1)$
5	$(s+1)\cdot(s^2 + 0.618s + 1)\cdot(s^2 + 1.618s + 1)$
6	$(s^2 + 0.518s + 1)\cdot(s^2 + 1.414s + 1)\cdot(s^2 + 1.932s + 1)$

Polinomios de Bessel factorizados.

n	$B_n(0)$	$D_n(s)$
1	1	$(s+1)$
2	3	(s^2+3s+3)
3	15	$(s+2.3222)\cdot(s^2+3.6778s+6.4594)$
4	105	$(s^2+5.7924s+9.1401)\cdot(s^2+4.2076s+11.4878)$
5	945	$(s+3.6467)\cdot(s^2+6.7039s+14.2725)\cdot(s^2+4.6493s+18.1563)$
6	10395	$(s^2+8.4967s+18.8011)\cdot(s^2+7.4714s+20.8528)\cdot(s^2+5.0319s+26.514)$

Polinomios de Chebyshev.

n	$C_n(\omega)$
0	1
1	ω
2	$2\omega^2-1$
3	$4\omega^3-3\omega$
4	$8\omega^4-8\omega^2+1$
5	$16\omega^5-20\omega^3+5\omega$
6	$32\omega^6-48\omega^4+18\omega^2-1$

Analizando el nudo V, se obtiene

$$\frac{V_i-V}{Z_1}=\frac{V}{Z_2}+\frac{V}{Z_3}+\frac{V-V_o}{Z_4}$$

$$\frac{V_i}{Z_1}+\frac{V_o}{Z_4}=V\cdot\left[\frac{1}{Z_1}+\frac{1}{Z_2}+\frac{1}{Z_3}+\frac{1}{Z_4}\right] \tag{1}$$

y ahora, teniendo en cuenta que toda la corriente que pasa por Z_3 pasa también por Z_5, se tiene

$$\frac{V}{Z_3}=-\frac{V_o}{Z_5} \quad\Rightarrow\quad V=-\frac{Z_3}{Z_5}\cdot V_o$$

sustituyendo V en la ecuación (1) y agrupando términos se obtiene

$$\frac{V_i}{Z_1} = -V_o \cdot \left[\left(\frac{1}{Z_1} + \frac{1}{Z_2} + \frac{1}{Z_3} + \frac{1}{Z_4} \right) \frac{Z_3}{Z_5} + \frac{1}{Z_4} \right]$$

y, por tanto, la función de transferencia de esta célula queda de la siguiente manera

$$\frac{V_o}{V_i} = -\frac{1}{Z_1 \cdot \left[\left(\frac{1}{Z_1} + \frac{1}{Z_2} + \frac{1}{Z_3} + \frac{1}{Z_4} \right) \frac{Z_3}{Z_5} + \frac{1}{Z_4} \right]}$$

Teniendo en cuenta que $Z_1 = Z_3 = Z_4$ son resistencias y que Z_2 y Z_5 son condensadores, la expresión general anterior queda como

$$\frac{V_o}{V_i} = -\frac{-\dfrac{R_4}{R_1}}{1 + R_3 \cdot R_4 \cdot \left(\dfrac{1}{R_1} + \dfrac{1}{R_3} + \dfrac{1}{R_4} \right) \cdot C_5 \cdot s + R_3 \cdot R_4 \cdot C_2 \cdot C_5 \cdot s^2}$$

Si se compara esta expresión con la función de transferencia estándar de un filtro paso bajo de segundo orden

$$\frac{V_o}{V_i} = -\frac{A_o}{1 + 2 \cdot a \cdot \left(\dfrac{s}{\omega_o} \right) + \left(\dfrac{s}{\omega_o} \right)^2}$$

se deduce que

$$\omega_o = \frac{1}{\sqrt{R_3 \cdot R_4 \cdot C_2 \cdot C_5}}$$

$$a = \frac{1}{2} \cdot \left(\frac{1}{R_1} + \frac{1}{R_3} + \frac{1}{R_4} \right) \cdot \sqrt{R_3 \cdot R_4 \cdot \frac{C_5}{C_2}}$$

$$A_o = -\frac{R_4}{R_1}$$

Por otro lado, si se desea tener una respuesta lo más plana posible en la banda pasante, entonces se diseñará un filtro de Butterworth. Este tipo de filtros presentan una caída de 20 dB/dec/orden. Como nos dicen que el filtro debe presentar una caída de 80 dB/dec entonces el filtro debe ser de orden 4. Observando las tablas que se proporcionan, el polinomio de Butterworth de orden 4 es el siguiente

$$D_4(s) = \left(s^2 + 0.765{\cdot}s + 1\right) \cdot \left(s^2 + 1.848{\cdot}s + 1\right)$$

Por tanto, el filtro se podrá diseñar a partir de dos células de Rauch de segundo orden

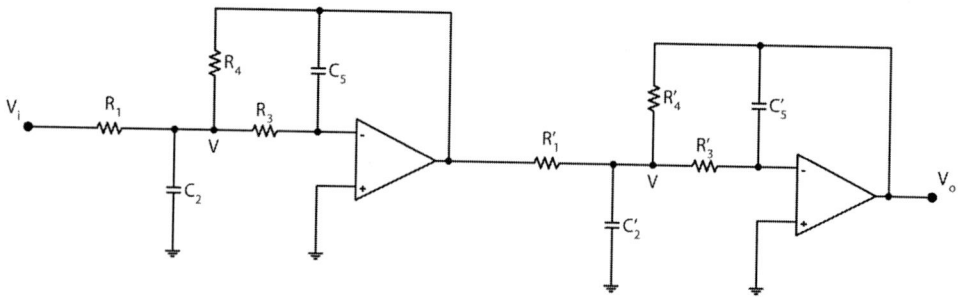

Donde se deberán cumplir las siguientes condiciones para la primera célula:

$$f_o = 10\,\text{kHz} = \frac{1}{2\pi \cdot \sqrt{R_3 \cdot R_4 \cdot C_2 \cdot C_5}}$$

$$2{\cdot}a = 0.765 = \left(\frac{1}{R_1} + \frac{1}{R_3} + \frac{1}{R_4}\right) \sqrt{R_3 \cdot R_4 \cdot \frac{C_5}{C_2}}$$

Tomando $C_2 = 100\,\text{nF}$ y $C_5 = 1\,\text{nF}$ se tiene

$$R_3 {\cdot} R_4 = \frac{1}{4\pi^2 \cdot f_o^2 \cdot C_2 \cdot C_5} = 2533029.6\,\Omega^2$$

Escogiendo $R_3 = 1$ kΩ se obtiene

$$R_4 = \frac{253029.6}{R_3} = 2.53 \text{ k}\Omega$$

y por tanto,

$$R_1 = \left[\frac{0.765}{\sqrt{R_3 \cdot R_4 \cdot \dfrac{C_5}{C_2}}} - \frac{1}{R_3} - \frac{1}{R_4} \right]^{-1} = 293 \ \Omega$$

Para la segunda célula deberán cumplirse, de manera análoga, las siguientes condiciones:

$$f_o = 10 \text{ kHz} = \frac{1}{2\pi \cdot \sqrt{R'_3 \cdot R'_4 \cdot C'_2 \cdot C'_5}}$$

$$2 \cdot a = 1.848 = \left(\frac{1}{R'_1} + \frac{1}{R'_3} + \frac{1}{R'_4} \right) \sqrt{R'_3 \cdot R'_4 \cdot \frac{C'_5}{C'_2}}$$

Tomando $C'_2 = 100$ nF y $C'_5 = 1$ nF se tiene

$$R'_3 \cdot R'_4 = \frac{1}{4 \cdot \pi^2 \cdot f_o^2 \cdot C'_2 \cdot C'_5} = 2533029.6 \ \Omega$$

Escogiendo $R'_3 = 1$ kΩ se obtiene

$$R'_4 = \frac{2533029.6}{R'_3} = 2.53 \text{ k}\Omega$$

y por tanto,

$$R_1' = \left[\frac{1.848}{\sqrt{R_3' \cdot R_4' \cdot \dfrac{C_5'}{C_2'}}} - \frac{1}{R_3'} - \frac{1}{R_4'} \right]^{-1} = 98 \ \Omega$$